PASEOS CON MI MADRE

colección andanzas

Libros de Javier Pérez Andújar
en Tusquets Editores

JAVIER PÉREZ ANDÚJAR
PASEOS CON MI MADRE

TUSQUETS
EDITORES

1.ª edición: noviembre de 2011
2.ª edición: enero de 2012
3.ª edición: febrero de 2012

Diseño de la colección: Guillemot-Navares
Reservados todos los derechos de esta edición para
Tusquets Editores, S.A. - Cesare Cantù, 8 - 08023 Barcelona
www.tusquetseditores.com
ISBN: 978-84-8383-398-8
Depósito legal: B. 5.115-2012
Impresión: Limpergraf, S.L. - Mogoda, 29-31 - 08210 Barberà del Vallès
Encuadernación: Reinbook
Impreso en España

Índice

Ma chère mère, si tu possèdes vraiment le génie maternel et si tu n'es pas encore lasse, viens à Paris, viens me voir, et même me chercher.

Baudelaire, carta a su madre
París, 6 de mayo de 1861

1
Los fantasmas

Cuando vuelvo a San Adrián del Besós paseo con mi madre siguiendo la orilla del río. Aunque hace tiempo que esta zona se llama Parque Fluvial del Besòs nos es imposible dejar de decirle *el río*. Igualmente, a San Adrián no vamos a llamarle de otra manera, quizá porque a ratos nos desentendemos de la historia, y viceversa. La mayor parte del año, el río Besòs tiene un cauce estrecho y de poco fondo; de niños, cuando aún no se había recuperado el cauce, lo pasábamos andando y las mierdas que el curso recogía de las cloacas nos tropezaban en las piernas. Las llamábamos submarinos. Pero también es un río con extraordinarias crecidas y, hasta que no lo canalizaron, provocó algunas inundaciones catastróficas. La más recordada es la del año sesenta y dos, que dejó cerca de ochocientos muertos a lo largo de su recorrido. El río, cuando da, pide más que cuando pide. Mi madre y yo veremos una vez cómo una ola marina lo cubrirá igual que una manta de agua metiéndose a toda pastilla corriente arriba con su sonido inconfundible de ola de playa. Es el macareo, la ola que escupe el océano por ríos y estuarios cuando se atraganta.

En nuestro paseo, nos ponemos a recordar. Mi madre viene con noticias remotas, y yo retrocedo hasta la más pura esencia de ser el hijo de la Isabel. Viene con la memoria de la infancia, habla de las cosas del pueblo, de la gente rural, de higueras con fantasmas, de amolanchines ambulantes y de vendedores de miel de caldera que iban en mulo. Algunos días parece que ande por el río más gente que nunca. Grupos de ciclistas vestidos de neopreno; los viejos a paso rápido como huyendo del médico de cabecera; el hombre con su perro y con la correa en la mano. Las camisetas serigrafiadas de los vecinos que marchan arracimados con un cartel que lleva escrito: La Mina camina. Por la otra orilla del río, la del lado de la incineradora de basura, va menos personal. En la otra margen del Besòs lo que hay es un montón de conejos, y cuando no se ven les echan la culpa a los chinos. Pero los chinos lo que están haciendo ahora es celebrar con disfraces y canciones su entrada en el año del conejo, que tiene fama de ser propicio para los negocios. A veces sale uno, quiero decir un gazapillo, brincando por el césped del río como un dado en un tablero; aunque sobre todo se sabe dónde están los conejos por sus excrementos, cagarrutas en forma de pelotitas negras. Dicen los filólogos que conejo es una palabra que viene del ibero y que luego pasó al latín. Es el mismo caso que el de muchas familias de Barcelona, que vienen de la prehistoria del campo y que luego se integraron en el ámbito del derecho romano y en la legislación de las comunidades de vecinos. Sobre la islita que los conservacionistas han propiciado en la desembocadura del río, vuelan garcetas y garzas reales. Ambas son ya población estable del delta del Besòs. También hay tortugas. Y patos que se dejan llevar por la corriente, hasta que se hartan, como todo el mundo, y alzan el vuelo. Algunos dicen que los chinos se los están comiendo igual que a los conejos. Las gaviotas siguen de plantón en el agua, en bloque, a la manera de guerreros de Xi'an, viendo venir la corriente como si vieran llegar a su madre volviendo del mercado. La mancha negra de un cormorán aletea sobre la mancha blanca de agua caliente que la depuradora devuelve al lecho del río. Una bióloga que lleva dos años observando la fauna en este sitio me explica sin apartar los ojos de los prismáticos que el otro día vio un martín pescador. Eso significa que las aguas están completamente limpias. Ahora hay charcas con ranas donde antes había charcos con ratas. Con sólo cambiar una letra puede transformarse el mundo, esto es lo que saben los poetas. Ya en la desembocadura, la gente va a pescar, muchos con caña, pero otros con el sedal a pelo, y el sitio se llena de latas, restos de comida, cartones, plásticos, y así tiene el río ahora una contaminación más moderna, más de consumo, que aquella contaminación puramente industrial de los años setenta.

Los ojos azules de mi madre, su pelo ensortijado, su sonrisa tan inmediata, que estoy viendo desde el principio de mis días, su ropa de luto ahora, como si ella también hubiera tenido que irse lejos. Pasa el tren y el puente de hierro tiembla sobre nuestras cabezas y deja un olor a vía caliente. Buscamos los caminos donde la hierba anda menos empapada de rocío, y aun así los zapatos se nos salpican de tierra, de barro, igual que a caminantes machadianos.

Todo el paisaje de San Adrián se va trasvenando de fantasmas, de aparecidos vagabundos, de gente que ha vuelto de golpe cuando nadie se acordaba de ellos. Espectros exhaustos tras años de peregrinaje. Algunos llevan al hombro un bolso con sus ropas, y se deslizan bajo las columnas de la autopista como una culebra entre las patas de un elefante.

Casi veinte años viviendo en esos pisos viejos de Barcelona, de suelos de mosaico y tuberías de hierro, y sabiendo que ni uno de los pasos que he dado por sus aceras va a hacerme de esta ciudad, y así cada semana regreso a la periferia, al río, a los bloques, a la autopista, a las vías, cada vez en busca de una dosis de mí mismo. Pero nunca me encontraré tan lejos de mi historia como cuando llego a San Adrián, porque aquí ya no hay nada de lo que persigo. Son fantasmas lo que salgo a cazar, y a algunos voy a encontrármelos.

¡No veas cómo me acuerdo de ti, cha!, me dirá uno, el Miguelito, con la voz rota por el heavy metal y la metadona. ¡No veas cómo me acuerdo de ti, cha!, vuelve a exclamar, y lo repetirá todo el rato; porque ya no hay nada detrás de ese recuerdo y porque yo tampoco existo y me he convertido también en recuerdo. Nos sonreímos para no tener que hablar. Él es un fantasma, y yo onirismo. No veas cómo me acuerdo de ti, cha, insiste queriendo acordarse de algo o de todo. Luego sacará del bolsillo una cartera partida por la mitad y un trozo se le caerá al suelo, y va a agacharse torpemente para recogerlo y sus brazos son una encrucijada de ríos azules. Lo que quería enseñarme era un pase de Servicios Sociales para los transportes públicos. Mira, cha, he venido en metro. Uno siempre enseña lo mejor que tiene. Él es un fantasma que va a preguntarme por toda mi familia. No veas cómo me acuerdo de ti, cha. Y luego cambiará de expresión, como arrepintiéndose de haber hablado, y continuará: ¿Sabes qué pasa, tío?, que no me gusta recordar, que cada vez que recuerdo me pongo a llorar. Y entonces voy a dejar al Miguelito solo bajo la autopista con la bolsa de la ropa en el suelo como si estuviese esperando su tren.

Viven en el río dos familias de lituanos, en tiendas de campaña. Se han instalado ahí, a la orilla, lavan la ropa en la corriente y la tienden, o más bien la extienden, sobre los arbustos. Mi madre ha llamado tarales a esas plantas. Uno rubio, un chaval con cara de pocos amigos, pesca con una miga de pan clavada en el anzuelo. Explica que hay unos peces muy gordos y muy buenos, y aunque al hablar parece más amable no pierde el gesto de desconfianza. Cuenta que busca trabajo en un castellano hecho de unos pocos sustantivos y unos cuantos verbos sin conjugar. Cada vez que uno de ellos pronuncia la palabra trabajo le sale de los labios un mazazo de súplica. Luego añade el chaval del pelo rubio que no le queda nadie en Lituania, que se quemó su casa y que en el incendio perdió todo lo que tenía y también a sus padres. La vieja, la común cantinela de quien le ha pegado fuego a sus pasos. Las palabras que va diciendo se funden en el murmullo de la depuradora. A ratos, cruza por encima de nuestro corro un sonido de vapor a presión, como si chistase el pasado fabril desde el más allá, como si les ordenara una y otra vez silencio a la gente y a la naturaleza recuperada. Al lado del lituano hay un hombre con los labios apretados y con las manos metidas en el anorak. El flequillo apelmazado en la frente, el lametón de una vaca sagrada. Está haciéndoles compañía a los muchachos. Nos ha contado que es del Pakistán, de la región donde hace poco hubo tanta tragedia con el agua, pero no señala al río, y que es amigo de estas dos familias. Viene a visitarlas de vez en cuando, pues resulta que también es su antiguo casero. Las tenía realquiladas en su piso del barrio de Sant Roc, en Badalona, donde los primeros gitanos impusieron sus leyes y ahora viven asustados, y después de cuatro meses sin que le pagaran tuvo que echar a las dos familias a la calle. El lituano asiente a estas palabras y sonríe por primera vez. Ahora el paquistaní les cobra por dejarles lavar la ropa en su casa, ha dicho, sin reparar en la ropa tendida de las matas. En los ojos del grupo hay un grito cristalizado, está atornillada a su mirada una petición urgente de ayuda que me hace comprender que cada segundo más de conversación es un rato más de vanas esperanzas que les estamos dando mi madre y yo. ¿Y también os cobra por la ducha?, les preguntamos; pero el chaval rubio contesta que se lavan gratis en las duchas de la playa. Continúa brevemente sus explicaciones y señala que, si no fuera por los mosquitos, esta parte del río sería muy buena para quedarse más tiempo. Cuando nos vamos, mi madre me dice que el paquistaní les estaba vigilando y no visitando. Cuidado con ese, que es un pez de dos colas, me ha advertido.

En la abertura de una cloaca que hay en el muro de canalización del río alguien ha dejado un colchón andrajoso. Cerca de la orilla un barco viejo extrae arena del fondo del mar empleada luego para regenerar las playas de Barcelona. Ha empezado a formarse en la desembocadura una duna que los ecologistas celebran como el hortelano que ve salir los primeros tallos de su siembra. Entre la oscuridad de la cloaca distinguiré desenvolverse una forma humana. Será el fantasma que se me había aparecido debajo de la autopista. ¿Pero no te ibas a casa de tus padres?, le voy a preguntar ya no sé si por saber o por piedad. El Miguelito se nos acercará a mi madre y a mí, y a cada paso parecerá que va a desmoronarse. Pero se mantiene maravillosamente en pie.

¡Qué va, cha!, vendieron el piso sin que yo supiera nada y ahora vive una gente muy chunga. Me he metido aquí por estar en alguna parte, dice refiriéndose a la cloaca; pero voy a tener que abrirme. Ahí dentro no se puede parar. Cada dos por tres sale una bocanada de agua y me desmonta el chiringuito, y entonces ha señalado el colchón.

¿Adónde vas a ir?, sigo preguntando.

¡A ti te lo voy a decir!, responde con un aspaviento y desaparece volviendo a su agujero.

Mi madre me pregunta de qué lo conozco, y le recuerdo cuando también ella lo conocía. Saliendo del río nos vamos a la playa por la duna recién nacida. A la orilla del mar las olas se desmayan como náufragos que acaban de llegar a tierra. Vuelan las gaviotas entre las tres chimeneas de la central eléctrica, y parece que estemos delante de esas estrellas que se apagaron hace millones de años pero que todavía se siguen viendo. O quizá delante de las tres letras del *TBO* convertidas en monumento. Han dejado clavada una vara en la arena igual que queda una jabalina hincada en un animal agonizante. En tierra las barcas de los pescadores llevan siglos bocabajo. El sol del mediodía caldea el viento frío que viene del mar y pasa igual que un fantasma entre nosotros. La carcoma se va comiendo la madera de las barcas.

2
La ciudad podrida

Estaba yo más cerca de los pisos de la M30 de Madrid, o de los bloques checoslovacos de *Pan Tau* (una serie para niños que habían pasado en la tele), o de las canastas de baloncesto y de las vallas metálicas de Harlem que se veían en el cine, estaba más cerca yo de todo aquel callejeo tan distante que del paseo de Gràcia o de cualquier otra calle del centro de Barcelona. Sentía más en las yemas de mis dedos las piedras del desierto de Mojave, sin saber bien dónde ubicarlo, que los jardines de la Diagonal o los maniquíes de la calle Tuset, que aún sabía menos dónde estaban ni siquiera si existían. Barcelona se concretaba en las torres apartadas y borrosas de la Sagrada Familia vistas desde nuestro balcón, más allá del río como faros del fin del mundo. Porque nosotros teníamos nuestras propias torres al lado. Las tres chimeneas de la central eléctrica, con su voltaje, que escuchábamos callados los días de humedad, su zumbido atmosférico, su apariencia de central atómica. A pesar de los muchos apagones, creíamos antes en la luz eléctrica que en la luz divina. La luz de la Fecsa se iba y luego volvía como se iban y venían los hombres un rato al bar.

19

Aquellas chimeneas gigantes eran las tres cruces de un Gólgota de hormigón poblado de manobras, de gente que se había venido a vivir a Barcelona y que no iba a pisar Barcelona en lustros, quizá en su vida. Sin embargo, cuando regresábamos..., pero yo iba, no regresaba... Cuando íbamos a Granada resultaba que venía yo de la propia Barcelona. De nuestra casa, de San Adrián del Besós, estaban más cerca los bloques del suburbio de La Chana, en Granada (aunque a aquel sitio le decían entonces Lin Chung o Lian Shan Po, o algo de darse patadas y tortas), que Pedralbes, Sant Gervasi o la Bonanova, que es donde contaban que vivían los ricos. La Sagrada Familia no formaba parte de nuestra familia. Era una obra que marchaba lentamente, que se la veía inmóvil como lo estaba en aquella época todo lo que ese templo representa. De la Sagrada Familia, pensábamos nosotros, lo único sagrado eran las horas de trabajo que el edificio llevaba a cuestas.

No hay manera de estar cerca de Barcelona si antes no lo estuvieron tus antepasados. A Barcelona hay que acercársele en el tiempo. Aquí el espacio, los montes como Montjuïc, el Carmel, la Muntanya Pelada, el Turó de la Peira..., es para los que no tienen nada. En Barcelona el espacio es un eufemismo con que referirse a la especulación. Se utiliza la palabra espacio principalmente con el significado de local comercial. Una peluquería es un espacio; pero hasta la perrita *Laika* sabía que el espacio es adonde van los cohetes. El espacio, en todas partes, *Laika,* queda para los perros callejeros como tú. Los rusos mandarán el primer ser vivo al espacio y van a encargarle la misión a un perro de la calle, a un *Lumpenproletariat* canino, y le llamarán *Laika,* que quiere decir ladrador. Nadie pertenece a Barcelona por el mero hecho de vivir en ella, ni siquiera de haber nacido en la ciudad. En Barcelona se está en el cuarto de los invitados durante un par de generaciones, y luego ya se accede al cuarto de servicio. Porque de Barcelona solo se es por familia y por dinero, en riguroso orden. Barcelona es una ciudad muy grande que se ha conformado con algo más de un millón y medio de habitantes y un espacio de cien kilómetros cuadrados.

La Barcelona de las laderas, los promontorios, los ríos, los descampados, más verdadera porque es más verdad la geografía que la historia, se hará película como Dios se hizo hombre, es decir, para que la inmolen. Es la Barcelona de los perros callejeros con gorra de pana, de los gatos, de las ratas, de las torres eléctricas, de los charcos, del tirón a la vieja que espera el autobús, del trompo con el coche, del chico con la cazadora vaquera entre dos guardias civiles. La dignidad que exige el viejo burgués que no ha soportado aparecer esposado en las fotografías cuando le llevan a juicio por robar durante generaciones se sustenta sobre la falta de dignidad del adolescente que sale en la foto tirado sobre una acera de la Diagonal con la bota de un madero pisándole la cabeza. Es la dignidad de un Millet con las manos libres como las ha tenido siempre, o de un Macià Alavedra cristianamente esposado, frente a la humillación del Vaquilla, un chaval de barrio detenido cerca de la plaza Macià (aunque por su vecindario merece seguir llamándose plaza Calvo Sotelo), alcanzado por los zetas cuando se daba a la fuga en un Simca 1200. No había manera de sentirse cerca de Barcelona, porque sabíamos que acercarse allí, a la Diagonal, sólo llevaba a que le machacaran a uno la cabeza.

En la plaza de la Catedral dos pasmas de uniforme marrón, el marrón es un color enfático (nos hicieron del barro), van a pararme para pedirme la papela, y cuando me preguntan qué hago en Barcelona viviendo en San Adrián les enseñaré la carpeta de los apuntes, porque es verdad que uno siempre enseña lo mejor que tiene, y les voy a contestar que vengo de la universidad. Entonces, uno de los polis pone cara de pillo, pero no de travieso como lo haría Josep Pla, el suyo es otro diario gris, pone una cara suspicaz, de escritor al que se lee poco, y exclama queriendo pulverizar mi verdad con la verdad de su rutina: ¿y es que en San Adrián no hay universidad?

En San Adrián tampoco habrá librerías. Alguna papelería que venda libros para las lecturas escolares, de eso todavía sí que hay algo.

De este modo voy haciéndome, desde el primer minuto, más de cualquier otra ciudad, más de cualquier otra parte, que de Barcelona. Antes que del Eixample me sentiré de los paisajes de Jack London. Estarán más cerca de San Adrián, donde nunca nieva, los hielos del Territorio del Yukón, y a los mares del Sur llegaré antes que a la Barceloneta. Viviré más cerca de Carabanchel que de las Ramblas porque a Carabanchel iré a cada rato con los discos de Leño, con las canciones de Rosendo, con sus rimas rudimentarias, ásperas como cuando se pasa la mano por las paredes de un bloque. Rosendo escribe más para la guitarra que para el cantante; pisa los adjetivos, los adverbios, igual que se pisa un pedal de efectos. Sumerge las palabras y las deja volver a la superficie, las tortura. Escribe amplificado y saturado, las palabras las grita y se estorban, se dan las unas con las otras. Las frases le salen distorsionadas porque ha puesto la sintaxis a toda leche (decía Valéry que la sintaxis es una facultad del alma), las lleva hasta donde no dan más de sí, hasta donde cualquier frase ya deja de ser frase. Rosendo es el chaval con bambas y greñas, dos cosas baratas que sirven para ser algo en la vida. En el carnet de identidad que me piden los policías de la plaza de la Catedral, en esa fotografía en la que he salido con los ojos abiertos como platos volantes, no para ver mucho sino para que me vea bien el poder, está concentrada toda la identidad a la que pertenezco.

Nuestra Barcelona no llegaría nunca hasta Barcelona. Y, al revés, para llegar a nuestra Barcelona habrá que ir más allá de donde alcanza el metro. Barcelona iba a estar, por ejemplo, en Cornellà, en la Ciudad Satélite, los bloques verdes. En las canciones de la Banda Trapera del Río. Los músicos que andaban por el barrio gótico, la peña de la onda layetana, su séptimo cielo como un séptimo de caballería de progres, su aristocracia de saber leer una partitura, su comunismo integrador, no me servían, no nos servían a quienes en nuestras habitaciones coreábamos *Ciutat podrida* de la Trapera. No íbamos a integrarnos, porque vivíamos atómicamente desintegrados. Escuchábamos rock and roll por gusto pero también por desesperación. Todavía Barcelona era una ciudad de muertos de hambre, si es que alguna vez las ciudades dejan de serlo. Del hambre real, de la falta de comer de nuestros padres, habíamos sacado nosotros el instinto de morder. La Banda Trapera del Río era nuestro grupo armado y era el esparadrapo con que nos vendábamos, quizá porque sabíamos que enseguida íbamos a estar más cerca del rojo de la sangre que del rojo de las banderas rojas. La canción *Ciutat podrida* describía una ciudad que se dormía entre las llamas. Esa luz del fuego, esa otra luz sin domar, es lo que va a diferenciar a nuestra ciudad de la Barcelona de quienes creían que cualquier noche podría salir el sol, y esperaban sentados en la mecedora entre historietas de la familia Ulises, del conde Drácula y de Tarzán. Pero acercarme a todo aquello también lo querré. También querré acercarme a aquella mística barcelonesa de piso entre penumbras tranquilas y de memoria oscura, turbia como todas las memorias, a esas casas de pasillos lóbregos e interminables igual que corredores de una cárcel, donde habían nacido aquellos músicos que tocaban con fraseo largo y escalas complicadas. La rabia de los bloques, la luminosidad de los descampados, daban la impresión de una libertad que en realidad era desamparo; porque la auténtica libertad (la de pago) andaba, así lo sentía yo, pegada a las galerías opalescentes y a las sombras del Eixample.

Así que de San Adrián, el policía se ponía cada vez más farruco con la pregunta. Iba repasando el carnet, pero levantaba la cabeza y me miraba a la cara para recordarme que también él actuaba por gusto y sobre todo por desesperación. Sentado en la escalinata de la catedral, un chaval con el cuello aporrillado de quistes gordos como castañas escuchaba la radio y gesticulaba sin ton ni son. No mires a los ojos de la gente, era la canción de los Golpes Bajos y yo me la repetía a mi manera. No mires a los ojos del agente. Luego el chico se apretó la nariz para sonarse, le cayeron los mocos en los escalones y se dio el piro con su radio.

Sí, de San Adrián, le dije al policía.

De San Adrián del Besós, dijo otra vez el madero.

En efecto.

¿En efecto? Tú te crees muy listo...

Callé y esperé a que se me pasaran las ganas de mandarle a la mierda.

O sea, que te llamas Joaquín.

No, no. Javier.

El policía volvía a repasar el DNI pero ya no lo leía, lo contemplaba con asco como si le hubiera salido una llaga en la mano. Cuando él bajaba la cabeza, su compañero me lanzaba rayos infrarrojos a través de su mirada de hombre gordo a base de puchero. Había en el cielo una claridad vasta, marítima, que se hizo astillas con los gritos de las gaviotas del puerto.

Del coche de la pasma salía todo el rato el zumbido de la radiopatrulla.

¿Cómo dices que te llamas?, insistió.

Javier.

¿Cuántas veces te han llevado a comisaría?

Nunca.

¡Nunca! Así que de San Adrián del Besós... ¿Y se puede saber qué estás haciendo *entonces* en Barcelona?

A Barcelona no habrá forma de acercarse sin tropezar con ese *entonces*. Se extiende una distancia kilométrica entre la primera y la última letra de esta palabra. Entonces, o para salvar ese entonces, voy a mirarle a los ojos al madero que está interrogándome y de golpe nos quedaremos clavados él y yo, percibiéndonos, reconociéndonos el uno en el otro como se reconoce con sólo mirarse la gente que proviene de infiernos diferentes.

3
Los tebeos

Los ojos con que miro a la policía son los mismos ojos con que leo. Desde el primer minuto entre tebeos, buscando mi futuro en sus linealidades como una gitana que lee las líneas de la mano. No me llevarán a Barcelona los tebeos; pero están trayendo Barcelona al balcón de mi casa. La Barcelona mogollónica de las viñetas de Opisso, sus plazoletas atiborradas de menestrales con delantal, de empleados con chaqueta y gorra, de ciudadanos con tripa, americana y sombrero, los tranvías a tope, las criadas, la gente que va leyendo absorta el periódico por la calle..., toda ella va a pasar de una manera natural a las historietas de Coll. Lo que ocurre es que Opisso es artista de multitudes y Coll pintará la sombra dulce de una nube abandonada, al hombre de Barcelona que pasea solitario, al hombre de la multitud sin multitud. Coll es un dibujante de Barcelona que ha revolucionado el *TBO* y nadie de su tiempo sabrá verlo. Le pagan tan poco por sus dibujos que tiene que dejar el lápiz para ganarse la vida como albañil, cantero, maestro de obras. En mil novecientos ochenta y cuatro, cuando tenga sesenta y un años, le rescatarán los jóvenes editores del cómic, y él alucinará con el éxito y el reconocimiento, y ese mismo año se suicidará. Empezaré identificando, por encima de los demás, los dibujos de Coll porque a Coll se le ve antes que a nadie en las páginas de un tebeo. Los ojos se van directamente al movimiento de sus personajes. Es el dibujante más generoso porque no exige que le lean. Sabe lo que busca el niño: mirar y divertirse; devorar el mundo con los ojos como un marinero subido a la cofa del barco. Aprender mirando. Los niños miran, el anciano lee. La lectura es un proceso de envejecimiento. Coll casi no pone texto en sus viñetas. Sin palabras, eso es lo que estoy buscando en los tebeos, sentado al sol del sábado, en la silla que mi abuela se trajo del pueblo. Siempre sin palabras, porque en el colegio lo que he visto es que las palabras son el poder. Y sin embargo acabaré leyendo los bocadillos de las viñetas como si estuviera vareando el árbol del conocimiento. Pero entonces buscaré en el texto del tebeo, por encima del sentido de la historieta, el sentido del humor. Si las palabras son del poder, hay que luchar contra ellas. Lo primero que aprecié fueron los chistes sin palabras de Coll, a Opisso llegaré más tarde. A Opisso y a los clásicos del cómic voy a llegar después de leer.

En los dibujos de Opisso, que ha sido delineante de Gaudí para las obras de la Sagrada Familia y que luego diseñará las tres letras de la cabecera del *TBO*, está concentrada la vida popular de Barcelona, los campos de fútbol repletos de aficionados con bufanda y faria, Canaletes llena de la gente que sale del partido, las casetas de baño en la playa de la Barceloneta, la ciudad entera tomando el aperitivo en las terrazas, los bailes populares de los barrios, el desfile del entierro de la sardina, las merendolas en la Font del Gat o en cualquier otra parte de Montjuïc. Opisso ha vuelto a Barcelona procedente de París, viene de tomar apuntes del natural en las callejuelas de Montmartre y por eso todas sus escenas de costumbres tienen esa melancolía bohemia. Cuando Opisso le explicó a su familia que iba a dejar la escuadra y el compás para hacerse artista, el padre le advirtió que abandonaba un buen oficio y un gran futuro al lado de Gaudí, y Opisso le respondió: Y cuando se termine la Sagrada Familia ¿qué voy a hacer? Opisso es el gran optimista, pertenece a una Barcelona incapaz de imaginar que no verá acabada la Sagrada Familia. Opisso empezará a meter el paisaje de Barcelona en los tebeos, y a través de todos los tebeos iré llenándome los ojos de ciudad. Con las páginas de generaciones de dibujantes de Barcelona. Con los taxis, las farolas, las fuentes, los bancos que dibuja Raf en las viñetas de *Campeonio, Olegario, Doña Lío Portapartes, Doña Tecla Bisturín, Don Pelmazo...* para *Gran Pulgarcito, Mortadelo, Tío Vivo, Din Dan;* con el rompeolas, adonde va a pasear *Máximo Mini* por las calles del *DDT*. Barcelona ha estado en *Pulgarcito,* la revista insignia de Bruguera, desde el primer momento, desde que vuelve a editarse a trompicones después de la guerra. En *Pulgarcito* aparecerá el Carmel donde vive la *Familia Pepe,* que dibuja Iranzo, una de las historietas más sarcásticas que se han escrito, y de las primeras en caer por el fuego amigo de la censura; van a salir además en la *Familia Pepe* la estatua de Colón, la Rambla, el Liceu... También estará en aquel *Pulgarcito* un personaje de García Lorente que se llama *Canuto* y que es un trapero de Barcelona. Más tarde una amiga me contará que su novio vasco se quedó pasmado la primera vez que vino a Barcelona, porque reconoció los edificios de balcones y terrados con antenas por haberlos visto antes en los dibujos de Ibáñez. Barcelona quedará retratada en sus tebeos desordenadamente, al azar, una alusión a un lugar en un bocadillo, una vista en otra historieta, un detalle que surge del fondo de una viñeta. Y de este modo irá creándose una ciudad aproximativa y permanente, que formará parte de mi propia esencia.

Pero además Barcelona irá metamorfoseándose también en las viñetas. Acaso ahora haga un siglo que se la está dibujando en los tebeos. En el año dos mil diez (que ya pasó y sigue teniendo nombre de año del futuro) lo hizo Miquel Fuster, alejado mucho tiempo del dibujo y que volvió para retratar a lápiz sus *15 años en la calle*. Plasmó con un carboncillo quince años de indigencia alcohólica por Barcelona, de pedir en las puertas de las iglesias, de dormir en las fosas que hay entre Via Laietana y la catedral, de tender cartones para echarse en el cemento del Paral·lel, en el parque de la Ciutadella, en aceras de barrios donde no le reconocieran o, más lejos, entre los matorrales del Tibidabo, porque iba a preferir el hozar de los jabalíes a los insultos y las pedradas de los animales nocturnos de la ciudad. A Barcelona también la va a retratar en el dos mil diez Paco Roca en *El invierno del dibujante*, que cuenta cómo Giner, Escobar, Peñarroya, Conti y Cifré salieron de Bruguera para montar la revista *Tío Vivo*, y volvieron con su revista bajo el brazo para dársela a la factoría igual que quien se rinde y entrega la llave de su ciudad. En *El invierno del dibujante* está retratada la Barcelona de los años cincuenta, los quioscos de la Rambla llenos de revistas y de tebeos, la papelería de plaza Lesseps donde los dibujantes compraban el papel, la tinta, las plumillas, el bar Rueda que había enfrente de la editorial, en el barrio del Coll, al pie de la montaña, y era aquel bar un lugar de encuentro de guionistas, caricaturistas, novelistas de quiosco.

Barcelona también quedará impresa en las historietas contraculturales de la revista *El Víbora*. La ciudad será su decorado interminable. El monumento a Colón al final de la Rambla, donde anida el *Buitre Buitaker* de Gallardo y Mediavilla; los autobuses de *Makoki* que van «de San Adrián del Besós al infierno» (haremos una exposición con estos originales en el vestíbulo del ayuntamiento de San Adrián, y nos los retirará la policía municipal porque en los dibujos sale gente drogándose); los bares de diseño y los triángulos posmodernos que hubo por toda la ciudad y que retrataron en sus historietas Mariscal y también Calonge; los patios de luces, los pisos del *Aguirre* de Vallés; la plaza Reial, el puerto de noche, la sordidez de la calle Unió de la *Anarcoma* de Nazario; los chiringuitos con moscatel progre del *Gustavo* de Max;

y siempre y otra vez el puerto, como en las películas policiacas de los años cincuenta que se rodaban aquí, las grúas, los cargueros y hasta los Mossos d'Esquadra de *Roberto el Carca* de Pàmies; el laberinto subterráneo, la ciudad de las cloacas que salen en el *Taxista* de Martí; la Barcelona de las lumis, las pensiones de a tanto el polvo en la Rambla, las whiskerías y los clubes que ha representado Pons. Cuando, ya en los mismos días en que Fuster dibuja su indigencia, Batman venga a Barcelona y se suba a lo alto de la Sagrada Familia verá que las cuadrículas de los dos lados del Eixample parecen las páginas abiertas de un tebeo.

4

Algunas maneras de quedarse solo

Recorreré la ciudad escribiendo crónicas para el diario como un peregrino en tierra extraña; pero la Barcelona a la que me han confinado entonces en *El País* es la de siempre. Es la Barcelona de la que no soy capaz de salir ni quiero, eso ya lo sé yo. Son los coros y danzas de la Feria de Abril y es todo el rato la masa de bloques que rodea a Barcelona como los apaches rodean un fuerte. Es la gran área metropolitana, donde en más de seiscientos kilómetros cuadrados viven tres millones de personas repartidas o aglutinadas en comarcas: el Barcelonès, el Vallès Occidental y el Baix Llobregat.

En *El País*, Agustí Fancelli, que es quien me ha llamado para hacer crónicas porque ha sentido curiosidad al verme hablando de trepanaciones en la tele del ayuntamiento, en el programa *Saló de Lectura*, me dirá que si no cuento yo lo de Sant Adrià, lo de Santa Coloma, lo de la Llagosta..., nadie va a explicarlo. Pero esto lo están diciendo mejor que yo cada día todos esos millones de personas. Explicar la cutrería de la Feria de Abril; explicar el folleteo clandestino, las hileras de coches aparcados en los muros de las fábricas, el *cruising*, el intercambio gay en las pirámides de cemento en la playa, al amparo de las tres chimeneas (lo que la gente de fuera llama Chernóbil); explicar lo que ha quedado de la banda de los Correas, *warriors* sin metro, que fueron señores del territorio donde hoy mandan los chinos; explicar que aquello de La Llagosta fue un hoyo de cal viva, pero en vez de cal era heroína...; si precisamente es por olvidarlo todo por lo que escribiré. A mí lo que me gustaría es hablar de lecturas, de libros; pero los libros ya los tienen cubiertos en el diario.

Voy a entrar antes en el nuevo siglo que en Barcelona, aunque ya lleve tiempo viviendo dentro de ella. Viviré por la Meridiana, una autopista municipal para gente que va al trabajo, que entra y sale de la ciudad. La Meridiana había que cruzarla hace años por puentes con escaleras de hierro, que le daban a la calle un aire de patio de fábrica o de campos de labranza convertidos en campos de concentración; pero ahora tiene isletas con parterre. La avenida de la Meridiana son veinticuatro horas de coches ininterrumpidas, un circuito para conductores con hipoteca, y por en medio de la avenida pasa una barandilla a la que me voy a agarrar porque quiero sentir en la mano el frío metálico de Barcelona.

Las casetas de la Feria de Abril han formado un barraquismo cultural, pero en ellas el barro de las barracas es un magma de albero y rebujitos. La feria sigue empecinada en su monserga de rumbas y sevillanas sin querer admitir que sus calles las atraviesan principalmente Latin Kings con sus gorras de lado, mujeres con velo y cochecitos de bebé, mestizos de nariz de cóndor, niños de Bangladesh vendiendo rosas a precio de Banco Mundial, negros salvándose del continente negro, mulatas de culos despampanantes que vienen de fregar cajas de ahorros, rellanos y escaleras y algunos emigrantes andaluces que han ahorrado para la jubilación apretándose el cinturón rojo. La Feria de Abril se extiende ahora sobre la piel dura del Fòrum, sobre lo que ha quedado del Fòrum de les Cultures 2004. Quince días se tira abierta la Feria de Abril para llenarse cuatro noches. A la Feria de Abril de Barcelona hoy van sólo quienes no tienen otro sitio adonde ir. La feria no es capaz de representar ninguna multiculturalidad. Los multiculturales son los que van a la parte de las atracciones porque ya los han echado de las casetas. Los multiculturales son los que pasean aburridos por la feria, no los que la organizan. Para ser multicultural basta con ser pobre, porque cada pobre lo es a su manera.

En los mismos días en que se monta la feria en el Fòrum sobre los huesos de los fusilados por el franquismo, van a celebrar sus fiestas mayores los vecinos del Guinardó, un barrio que está colgado en la pendiente de una montaña coronada por los restos de una batería antiaérea republicana. Es en el Guinardó donde transcurren la mayoría de las novelas de Juan Marsé, autor al que copiaré menos que a Umbral, quizá por mi incapacidad de ser de Barcelona. Y sin embargo, si pudiese formar parte de la ciudad quisiera hacerlo precisamente a la manera de Marsé, desde mi barrio, poniendo las películas del Oeste por delante de los libros por no vacilarle al personal o también por vacilarle, ahorrando siempre palabras para no tener que pronunciar las de los pijos. Siguiendo a Umbral empezaré a ser de Barcelona de un modo más lírico porque perteneceré antes a un lirismo que a una literatura. Se puede ser escritor de Barcelona de muchas maneras. Con la nariz de boxeador que nunca ha hecho tongo, como Marsé, con su novelística compleja porque enfrenta todo el rato una verdad privada a la verdad del mundo. Con el bigote blanco de Eduardo Mendoza, de escritor viajado y que le da esa elegancia del hombre de mundo que no se mancha de geografía cuando sale a ver las cosas; de escritor que va de un lado a otro porque ha descubierto que la distancia es la más alta forma de amabilidad. Con el periódico y el carnet del partido doblados bajo la máquina de escribir, como Manuel Vázquez Montalbán. Con la cazadora vaquera de Carlos Zanón, con la que escribe sus novelas duras, de callejón espectral, de una Barcelona extracomunitaria y de mejillones hervidos en las presentaciones de la librería Negra y Criminal. Con la elegancia de sastrería decente, con la elegancia rabiosamente viva, nocturnamente viva en una eterna noche americana, que es la de Francisco Casavella. Será su Barcelona americana, la de las malas calles, la de los gitanos rumberos de la calle de la Cera y del parking de la calle Aurora en el barrio chino, la de las noches watusis, la de los especuladores municipales, esa será la única en que crea, la que voy a ir buscando cada vez que cruce el río. Llevaré entonces el *Triunfo* de Casavella metido en el bolsillo de una trenca muy buena, que salió de un camión que nunca llegará al Corte Inglés. Me la regalará mi familia en mi veinticinco cumpleaños (habían cogido entonces la manía de comprar esas cosas en los pisos de La Mina).

Contigua al parking de Aurora, habrá una modesta agencia de unos antiguos dibujantes de *El Papus*, que se dedicará en esos días a proveer de páginas a *La Judía Verde*, *El Cuervo* y a otros cómics porno, a hacer pasatiempos para la revista *Pasaforges* y *Don Balón*, historietas de *Mortadelo y Filemón* para Ediciones B, y allí, al llevar los guiones guarros con los que intento meterme en la literatura, será donde conozca por primera vez a un negro de los tebeos. Un chaval muy joven, flaco, con el pelo muy largo, que se pasa el día encerrado en un cuartucho oscuro, encorvado como si fuera un muñeco de plastilina, con la cabeza metida bajo la luz de un flexo. Para calcar de viejos tebeos los disfraces de Mortadelo que le indican los guionistas, el chaval ni siquiera va a tener una mesa de luz, utilizará una especie de Jomakin, un proyector como el que anunciaban Mortadelo y Filemón en los años setenta para los niños que querían ser dibujantes.

En Barcelona existen muchas maneras de ir quedándose solo, y en el baile de fiesta mayor de los vecinos del Guinardó se ve una soledad nocturna, una intimidad arqueológica donde lo que salta a los ojos es el desarraigo del que se queda. Tiene más raíces quien puede irse de fin de semana a cualquier urbanización, que el que se queda en el bloque para pasar las fiestas del barrio. Tiene más raíces el que se abre a cualquier sitio, que quien tiene que conformarse con la Feria de Abril o con las fiestas de su calle.

Lídia es una escultura asiria bajo la noche y bajo una lluvia que empieza a regarles la fiesta a los vecinos del Guinardó. Remanece de otra Barcelona que se ha quedado grabada en las piedras de las montañas, en el compromiso, en las asociaciones de vecinos, en los ateneos. Lídia, con sus gafas de moda y su cazadora azul y sus pantalones de cuadros, sigue esculpiendo el bajorrelieve donde se cuenta la leyenda de los barrios.

Mira qué te digo, Javier, este año la afluencia de los vecinos a las fiestas mayores ha sido desalentadora, ha estado muy floja. Calculábamos tener más de cien personas en la cena pero apenas se han presentado treinta. A lo mejor la gente se ha ido afuera por lo del puente o quizá no haya venido por lo de la lluvia. No ha terminado Lídia de hablar cuando las cuatro gotas que están cayendo se transforman en un chaparrón de abril nubarrón negro marfil. Lo que pasa, Javier, es que la gente va desanimándose y la que llega nueva no termina de integrarse en estas cosas del barrio. Mientras Lídia hace sociología, los músicos tapan los amplificadores con plásticos, y se van, pero pronto vuelven corriendo y apagan los aparatos y lo recogen todo. Y a pesar de la que está cayendo, unos cuantos vecinos siguen bailando en la plaza, ya sin música. Lídia ha andado toda la noche de un sitio a otro, entre las mesas de la cena, la barra formada con neveras de refrescos y la tarima donde han puesto el teclado que anima las fiestas.

Aquella noche estará chispeando desde el primer momento, y a ratos va a parecer que no llueve; pero en el suelo centellean las gotas de lluvia y chorrea también el agua por los coches aparcados. Fuera de la plaza del Guinardó, en las mismas calles que se abocan a ella como ganado exhausto, la fiesta mayor ya no existe. En el resto del barrio continúa siendo una noche normal y corriente a una hora de vecinos rezagados que regresan del trabajo, y de coches que pasan deprisa alumbrando la lluvia. A la plaza del Guinardó, iré pero dando una vuelta, como cantaba el Último de la Fila. Voy a llegar sin saber del todo cómo se va a ese sitio, y elegiré las calles dejándome llevar por lo que evocan sus nombres. La calle del Siglo XX, ya antigua, igual que lo es el poema que Yevtushenko dedicó a *Los jóvenes furiosos* (Oh, siglo veinte, oh, gran era del Sputnik...). En la calle del Siglo XX lo que hay son las puertas rojas y arcanas del Sheik Club y cuatro chavales jugando al fútbol con una lata de Fanta. Llega de otra calle una música que por un segundo me hará creer que ya estoy cerca de la fiesta mayor, y yendo en su busca reconoceré esa melodía con un punto de incredulidad, porque lo que voy a oír es el *Cara al Sol.* Y encima está saliendo de una casa okupa; pero quien lo haya puesto lo quitará enseguida y va a sustituirlo por *La Internacional,* y así quedará la molesta impresión de que las dos canciones estaban en el mismo disco o en la misma carpeta de audios. ¿Cómo puede nadie confundirse en algo así? No se oye ningún otro ruido en la okupa, no parece que estén de fiesta; pero también me cuesta imaginarme a un perroflauta tumbado sobre un sofá recogido de la calle para deleitarse con el himno del movimiento obrero como el burgués que escucha el concierto para violín de Brahms mientras ve llover sobre la estatua de Cambó. De manera extraña, se me hará estéticamente, moralmente insoportable la idea de que se hayan juntado en aquel mismo caserón de ventanas tapiadas y puertas con candado dos canciones que sin embargo permanecen juntas en la casa desolada de nuestra historia.

Esto empezará cuando la gente acabe de cenar, se han dicho dos mujeres que han salido en bata a tirar la basura. Y al arrancar al fin la orquesta (dos músicos y dos vocalistas), los vecinos del Guinardó bailarán pasodobles cañís, rancheras de Rocío Dúrcal y el country aeróbic de Coyote Dax. Forman los vecinos parejas azarosas y hacen también trenecitos y congas, y hay dos que bailan por rock and roll con la torpeza de quien no practica mucho el rock, y un señor con una pierna enyesada agita las muletas siguiendo el compás. En el bailar de una mujer de pelo blanco y del hombre de bigote fino que la acompaña se condensa la elegancia de una época que ya no existe, pero que siempre va a pertenecerles. Algunos curiosos se acercarán un momento para contemplar el jolgorio y otros van a pasar por la plaza como huyendo, y en ambos casos se ve que es una fiesta que no va con ellos. Por la acera más apartada un paseante lleva tres pitbulls albinos como tres balas de plata. Rodeada de pisos, la plaza del Guinardó es un difuso hoyo de luz. Da una continua impresión de soledad bajo la lluvia intermitente. Ningún vecino se asomará al balcón. A nadie le atrae lo que está pasando a la puerta de su edificio. Un hombre ha descorrido las cortinas de una ventana y enseguida va a cerrarlas. Recostado sobre su motocicleta, se fuma un pitillo un repartidor de pizzas, lo apura y se marcha con la moto a otra parte. Un tipo rapado al cero observa a los vecinos con las manos en los bolsillos y sigue andando, y otro con barba blanca y muy gordo se detiene un rato y mira tristón el baile. Se acercan unos latinos para retratar con el móvil a la orquesta y se van. En un extremo de la plaza juegan en los columpios unos niños, y de vez en cuando se acercan a la cena para pedirles patatas fritas a sus padres.

5
Una ciudad sin río

Creceré a la orilla del río viendo de lejos Barcelona, que es una ciudad sin río. Pudiendo ser dueña de dos ríos, Barcelona no tiene ninguno porque no ha sido capaz de llegar ni al río Llobregat ni al río Besòs. Ha preferido el terciopelo del Liceu al terciopelo de las ortigas que hay en los solares, en los descampados, en los caminos que llevan a las fábricas. Barcelona suspira y dice que vive de espaldas al mar como quien se da cuenta de que se ha dejado el paraguas en el bar del ateneo, pero que tampoco le hace falta. La ciudad no vive de espaldas al mar, vive de espaldas a su gente y a sus vecinos porque no siente nada por ellos. Cuando Barcelona visita a sus vecinos es para plantarles una incineradora de basuras. Barcelona tiene el Mare Nostrum a sus pies y levanta un Maremagnum para taparlo. No le hace falta mirar al Mediterráneo porque esa tarea la ha externalizado, ya se encarga de ello la estatua de Colón subido a su columna como Simeón Estilita.

Baudelaire lo escribió en su penuria de Bélgica: la tristeza de una ciudad sin río. El río de Barcelona lo tiene que poner la gente con sus propios pasos, es la Rambla hecha de ramblas, una corriente humana, una corriente popular, que va en busca de la mar doméstica del puerto. Son las Ramblas el río filosófico de Heráclito, porque nunca son las mismas o, dicho con una expresión eterna, nunca son lo que fueron. Nadie pasea dos veces por las mismas Ramblas. Yo las atravesaré con la carpeta de los apuntes llena de pegatinas y filologías, de hamzas, alif maqsuras y ta marbutas de primero de árabe, de apuntes de literatura medieval, de capítulos de Lida de Malkiel fotocopiados de sus libros sobre el Arcipreste de Hita y *La Celestina.* Voy a recorrer la Rambla buscando en los ojos de la gente el secreto que nadie entrega. Ladrón adolescente de miradas, delincuente juvenil que le hace el puente a las lecciones de la universidad para que den el chispazo con los tebeos, con los discos, y arrancar pisando a fondo. En la Rambla encontraré todo lo que voy a necesitar, que es gente. Miradas, cuerpos, formas de andar, estilos de vestir, maneras de vivir, todo esto se lo irá llevando ese río de suelo ondulante, y como si me estuviese ahogando me agarraré a todos los que pasan para salvarme con ellos, para escapar de otra corriente que me devolverá una y otra vez al lugar de origen. Toda la gente de la Rambla llena de secretos, terriblemente bellos, intimidantes. Quería ser un quinqui para salirles al paso y quitarles toda la verdad que llevaban dentro.

La tristeza de volver en autobús. Era siempre en autobús porque aún no teníamos metro. El metro irá llegando a los barrios más tarde como la democracia a los países pobres. En cada parada que hace el bus los pasajeros vocean al conductor porque no se abren las puertas y él contesta a gritos que ya va. Cada edificio, cada persona que pasa de largo por las ventanillas es una zarza que me arranca un jirón de la camisa. Cada vuelta significa una derrota. El autobús es el cine de quien no quiere quedarse a oscuras. Ni siquiera cuando es de noche se va a oscuras en el bus. Antes irán extinguiéndose las bombillas detrás de las ventanas de los pisos; los balcones quedarán velados con cortinas y visillos; en las habitaciones la gente bajará las persianas. Conforme vaya llegando a mi casa, las calles estarán menos alumbradas, y será de noche en los bloques, en los portales, en las hogueras que los gitanos hacen en la calle; en las gradas de cemento del campo de fútbol; en los ladrillos rojos de la fundición de hierro y en la incandescencia que relumbra tras esos muros; en las rejas del club de petanca; en la iglesia llameante de velas junto a la colonia textil deshabitada.

Vibran los asientos con el motor del autobús y en ese traqueteo van a adelantarse a los sillones para masaje, a las cintas para adelgazar. Todo lo que venden en la televisión lo he tenido antes gratis en los transportes públicos. En los días de lluvia el vaho empaña los cristales como si fuéramos al pantano del perro de los Baskerville; pero lo que estamos atravesando son los bloques de los veinticinco años de paz y treinta de aluminosis. Llueve sobre la acera como llueven palabras sobre los libros. Se han puesto a parpadear en ámbar los semáforos de la calle Guipúscoa y parece que quisiera escapar de ellos un insecto prehistórico.

Sigue el bus cabeceando y alumbra lentamente los edificios.

Al autobús se sube como se sube al tren, para ver paisaje y hablar con la persona de al lado. Escucharé maravillado al albañil comunista que quiere que España ingrese en el Pacto de Varsovia, y como un detective de cine cómico pegaré la oreja a las conversaciones de las mujeres que van a hacer faenas a los pisos de Barcelona. Pues mi marido se murió después de acostarse, ¡y eso que se había cenado un buen plato de gambas!; pero esto va a ser un amigo bibliotecario quien lo oiga y me lo cuente. A veces se sienta enfrente una mujer que se pone en el regazo un sobre grande con radiografías y lo sostiene, las manos juntas, y nunca voy a ser capaz de mirarla a los ojos. Cuando pasa por las calles que remontan las cuestas de Badalona, el autobús se sube a los bordillos y tropieza con las aceras. Esto es Bufalà, va a indicarle un hombre a la mujer que va con él, y ella responderá: ¡Ah! Y entonces él continúa: El saber no ocupa lugar. No por lo que dicen sino por cómo lo dicen descubriré cómo piensan y por tanto cómo pienso. Nace en los autobuses una amistad cotidiana, de vivir a la misma hora, de vivir en la misma dirección. De salir del mismo sitio y de regresar a la vez. Las gitanas hablan de lo que les espera en casa, de sus hombres que se están poniendo malos; de cuando iban al colegio y les mandaban hacer babas, y tardaré un rato en darme cuenta de que quieren decir mapas. Si el conductor frena de golpe la gente vuelve a gritarle y le pide que ponga atención, que no transporta ganado. Un pasajero abre las ventanillas haciendo aspavientos y refunfuña, dice que ya no se puede aguantar el calor dentro del bus, y la gente asiente conforme, pero hasta ese momento todo el mundo se había resignado con mansedumbre animal.

El pasajero es la quintaesencia del individuo. Ninguna otra actividad durante el resto del día acapara tanta verdad litúrgica. Somos pasajeros, estamos de paso. La costumbre de sentarse con alguien a quien nunca se va a conocer demasiado. Acompañantes sin nombre para hablar de lo que va pasando en el día; para esperar en la parada. Tiene un aire de náufrago la gente que espera mirando a lo lejos a que llegue su bus. En los gestos con que le hacen señales para que no pase de largo. Iré leyendo y mirando a la calle, la cabeza apoyada en los cristales fríos que tiemblan con su inacabable movimiento sísmico. La primera vez que subí a un autobús un billete costaba seis pesetas, lo mismo que un *Mortadelo* y daban menos papel. Desde el primer día leyendo en el autobús.

Los años de carrera voy a leer horas y horas en marcha; pero entonces todo lo que he dicho de las conversaciones, de las compañías de asiento, se volverá en mi contra, y la vida se impondrá a los libros igual que un Fahrenheit de voces que me hacen apartar la vista del *Conde Lucanor,* del *Diálogo de la lengua,* del *Otoño de la Edad Media,* de la gramática general de Hjelmslev, de Umbral, de Chandler, de William Burroughs, de Jean Ray, de Arthur Machen, de *La ciudad de los prodigios,* de

Clark Ashton Smith, de Sapir, de Leo Spitzer. A Franco lo que le faltó fue tener un hijo varón para que heredara su dentadura, dice una mujer y ya no puedo seguir leyendo. Busco una relación acaso entre los dientes de Franco y toda el hambre que hubo en España; pero sigo escuchando y al final comprendo que esa mujer no ha sabido decir dictadura. Llevaré luego a los poetas en el autobús, porque espero que un verso soporte lo que no aguanta un párrafo; porque quizá entre el vendaval de las conversaciones sea más fácil pillar metáforas que hilvanar ideas. Y así voy descubriendo que el mío será un pensamiento metafórico, es decir, analógico. La metáfora es la analogía entre dos cosas, entre dos conceptos que no tienen una relación directa o que de entrada no hay por qué relacionar. Unos ojos y un acantilado. El hambre de la gente y la dentadura de Franco. La analogía es la tecnología con que funcionan los sueños, la maquinaria profunda del inconsciente. El consciente es lo contrario. El consciente no es analógico es digital. El consciente elige a dedo. Lo digital es lo evidente. Preferiré siempre la prosa analógica a la digital. No leeré para entender lo que dicen los autores, sino para entender a través de ellos; para atravesar sus frases como agujeros de gusano. Voy a subir al autobús siempre con libros, que cada vez más serán de poesía. Machado, que me castellaniza el castellano; Leopoldo María Panero, con sus temporadas en el infierno de los manicomios; Ginsberg, que es el san Juan de la Cruz psicodélico; Blas de Otero, porque es lo que me va quedando de Paco Ibáñez. Y siempre Quevedo en su hoguera de metáforas y vanidades. Pero también las conversaciones de los asientos de atrás, de delante, de todas partes, acabarán embarullando la lectura de los versos. Y así es como terminaré de nuevo con la frente pegada al traqueteo de la ventanilla; buscando en la calle la poesía que el ruido de la vida no me deja arrancarle a los libros, y anotando en los márgenes unas palabras sueltas con la letra temblorosa por los adoquines.

6
Concurso de pintura en Ciutat Meridiana

Toni Disco se llama en realidad Antonio Abad, somos amigos del colegio y va a ser en clase de ritmo (claro, es el año setenta y uno) cuando la profesora empiece a llamarle así. Desde entonces nadie le ha dicho de otra manera. Con Toni Disco iré a los concursos de pintura rápida por los barrios de Barcelona acompañándole inútilmente, porque entonces todo nos parecerá inútil, hasta nuestra mutua compañía. Toni Disco dispone el caballete, coloca el lienzo y pinta despacio, y yo me quedaré a su lado mirando. No me va a dar tiempo de acabar este cuadro, Javier. Iré con Toni Disco, que es un pintor reflexivo, moroso, siempre dubitativo, iré acompañándole a todas las convocatorias de pintura al aire libre que van saliendo. Mi amigo se entera de los concursos hablando con otros pintores, o por la prensa, o preguntando en las asociaciones de artistas. Javier, creo que este cuadro no lo voy a terminar. Así no puedo entregarlo. La noche antes del concurso Toni Disco se la pasa montando los bastidores para hacer el marco (medida veinte figura) y dándole la imprimación a la tela. Muchas veces la aprovecha de otros cuadros que no ha acabado o que no ha presentado al terminar el concurso. Le quita los restos con una espátula y con disolvente, y le da una capa de pintura monocolor. Lo que busca acostumbra a ser una uniformidad color tierra, que le conviene a su ojo de pintor y que es suficiente para que no diga el jurado que ya llevaba adelantado el cuadro. Los ojos de Toni Disco son de color verde kriptonita. Su mirada resulta muy poderosa al principio, pero si la sostiene un buen rato empieza a debilitarse, pues ya se ha ido a pensar en otra cosa. A Toni Disco la concentración le fluye o se le escapa a través de la diastema, por las arquivoltas de los dientes, y así, falto de concentración, se le ha formado un carácter tan voluble. No sé si poner una tela nueva o reciclar algún cuadro que tengo por ahí. La tela nueva la compra en rollos de algodón, la recorta según la medida y la grapa al bastidor. Le aplica una capa de pintura blanca de pared a la que añade polvo de mármol con el que obtiene una textura rugosa. También se prepara los colores, que va a pedir en polvo a las droguerías y los mezcla con látex. De esta manera le salen más baratos que comprándolos hechos.

Es que esto de la pintura rápida no es para mí. ¿Y por qué te presentas?, le pregunto, y estamos en una plaza rodeados de pintores que buscan un sitio donde ponerse. Algunos han ido el día antes para tener ya decidido el tema, el rincón donde se quedarán; pero Toni Disco prefiere la sorpresa. Va con su gorra para que no le dé el sol en la cabeza, cada vez más calvo, y con su ropa vieja manchada de pintura de todos los concursos, y busca un lugar apartado donde le dejen solo; sobre todo porque tiene pudor de que le vean pintar. A veces se ha tirado el día entero dando vueltas sin encontrar una calle, una vista, una perspectiva que le guste. Llega persiguiendo la luminosidad de la primera hora, y se le va toda la mañana olfateando la luz como un perro ciego. Es muy difícil encontrar tu sitio, Javier, porque somos gente sin sitio. No hay manera de que me quede en un lugar sin tener la impresión de que he vuelto a equivocarme. Toni Disco se alimenta de indecisión. La próxima vez me planto en el primer sitio que encuentre al bajar del tren. Pero en la siguiente convocatoria Toni Disco va a dar todavía más vueltas. El sitio es lo de menos, Javier, lo importante es el cuadro. Y luego dejamos su caballete montado y nos metemos en un bar a desayunar y a tomar unas cervezas. Ha transcurrido poco más de medio año desde que en Berlín la gente echó abajo el muro, y Toni Disco, que se alegra pero que también le da rabia de que se alegren los capitalistas, lleva recortada una foto de un mural que acaban de pintar en una de las partes salvadas del derribo, en la orilla del río Spree. Es el dibujo hiperrealista de un coche blanco (el Trabant, el utilitario de Alemania del Este) atravesando el muro. Su matrícula es la fecha de la caída. Lo importante es el sitio, dice esta vez, el cuadro es lo de menos. ¿Lo ves? Este mismo coche pintado en un lienzo, aquí, en el concurso, no diría nada. Toni Disco imita a los hombres de antes cuando gesticula, y ha trazado un redondel por encima de la barra para preguntarme si tomamos otra, como hacían nuestros padres cuando estaban juntos en el bar. Luego se queda un rato pensativo. Lo único que a mí me importa es el cuadro. El cuadro, Javier, porque ese es el único sitio que tengo.

Los pintores acuden en sus coches; pero Toni Disco es de los que no tienen carnet de conducir, no saben nadar, no les gusta el fútbol, se negarán a tener teléfono móvil y nunca han visto *E.T.* Mi amigo llega a los sitios en autobús, en tren, con un plano en la mano y con todo el material encima. Viaja cargando con el caballete plegable y el lienzo, y una mochila donde guarda las pinturas, un puñado de pinceles anchos y finos, una botella de agua para lavarlos, un trapo, los barnices para darle brillo al mate del acrílico, los retardantes para evitar que el acrílico se seque muy rápido y un espesante que le da grosor a la pintura. Al principio empleaba óleo y aguarrás, pero le parecía que se ensuciaba mucho, y se pasó al acrílico, que se seca enseguida y también le permite corregir tanto como quiere. Para que yo pintara con óleo tendría que tener las ideas más claras. Sin embargo, a Toni Disco la única claridad que le preocupa es la de la luz.

Los pintores que le rodean son profesionales de los concursos, de la pintura rápida, del trazo efectivo. Saben que los ayuntamientos quieren algo representativo del pueblo para colgarlo luego en los despachos o en las asociaciones de vecinos. En Toni Disco la pintura no es un lenguaje para hablar con los ayuntamientos sino el monólogo interior de quien no encuenta la forma de explicarse de la misma manera que no da con su sitio. Toni Disco pilla y se va al primer descampado que encuentra, porque lo que le gusta es lo árido, lo deshumanizado, acaso porque no soporta lo que hay de inhumano en la gente. Se pone en los solares más apartados, donde le está dando el sol todo el rato y lo que lleva al lienzo son las latas tiradas, la tierra agrietada, las torres eléctricas, las pilas de tubos de hormigón de las conducciones subterráneas, las matas, los hierbajos. Si hace el retrato de una persona busca también sus parajes desolados y por ejemplo va a representar a Van Gogh revólver en mano un momento antes de pegarse el tiro, o a e.e. cummings tendido en la cama, en posición fetal, en calzoncillos blancos y camiseta de tirantes, y con unos calcetines negros hasta las pantorrillas, y a este cuadro lo llamará *Descanso del poeta*.

Le acompañaré a pintar a Ciutat Meridiana, un barrio encasquetado en una pendiente de la sierra de Collserola, donde termina Barcelona y ya fronterizo con Montcada i Reixac (pero en Montcada no hay nada, lo canta Tina Gil encerrada en su cuarto de baño con su guitarra eléctrica, como una adolescente que no quiere que la vean llorar). Primeramente iban a poner en aquel terreno un cementerio, pues los niveles de humedad de la tierra desaconsejaban edificar; pero al final lo llenaron de gente más o menos viva. Sobre la pared de un puente se alzan clavadas unas letras gigantes, que le dan un aspecto de Hollywood poligonero y que dicen Benvinguts a la Ciutat Meridiana. Viven en este barrio más de once mil personas argamasadas en mucho menos de medio kilómetro cuadrado. El tren de cercanías deja al pie de la ladera y la subiremos Toni Disco y yo serpenteando por una carretera de asfalto agrietado entre terreras y entre edificios que se alzan al borde de los barrancos. El barrio es un montón de cemento barato volcado en esa parte de la montaña y dejado ahí desde que se levantó, como cuando se tiran escombros debajo de un cartel que lo prohíbe. Bloques y barro. Pinos viejos y edificios con las ventanas de las escaleras cubiertas por celosías de ladrillo. Sobre los porches de los bloques se acumulan pinzas de tender, perchas de la ropa, la cacharrería que se le va cayendo a la gente por la ventana. A quienes viven en los pisos más bajos, las sábanas se les ensucian de tierra cuando las tienden en el balcón. Unas escaleras de hormigón suben la montaña y comunican las calles. Desde hace poco se han instalado ascensores y escaleras mecánicas para salvar las cuestas. Cuando no funcionan, se vuelve a ver a las viejas remontando los peldaños de cemento y cargando sus bolsas con la compra. El ascensor funicular, aún flamante, con el logo de la Generalitat, es lo más parecido que hay aquí al hipotético ascensor social de los sociólogos; pero a donde conduce ese ascensor es a la boca del metro, que espera hambrienta a la gente que va a echar horas con la ropa salpicada de yeso y pintura. Desde las calles más altas de Ciutat Meridiana pueden contemplarse las colinas contiguas, lomas de tierra seca y matorrales. De Barcelona no hay ni rastro.

Querer verla desde el barrio es como intentar tocarse el codo con la mano del mismo brazo; forma parte del mismo cuerpo y está muy cerca, pero es inalcanzable. Una pequeña pista de cemento comunica unos edificios que se construyeron en una hondonada con la carretera que zigzaguea por Ciutat Meridiana, y gracias a eso estos vecinos pueden salir a la calle sin hundirse en el barro. La pista se la hicieron los primeros que llegaron, después de que la pidieran y nadie les quisiera escuchar. Alguno de ellos grabó sobre el cemento una inscripción conmemorativa; está escrita con un palo y pone: 11/3/78 UGT CCOO. Ahora este grupo de números y letras parece una clave, un criptograma dirigido a una posible civilización futura, como el que lleva a bordo la sonda espacial Pioneer en su placa de aluminio dorado. Hay plantados al pie de los bloques unos nísperos y en los bancos cercanos se junta la gente para echar un rato y comer pipas. El mundo está lleno de gente comiendo pipas. Buena parte de nuestra civilización consiste en escupir cáscaras al aire. La humanidad tiene a sus pies un montón de historia, por supuesto, pero también un montón de cáscaras de pipas.

Los vecinos que han ido llegando al barrio en los últimos años son sobre todo africanos y latinos. Es tan fácil ser pobre en Barcelona como en cualquier otra parte del mundo. Cerca de la parada de metro se pasean grupos de chavales negros vestidos de raperos de mercadillo y grupos de chavales blancos que beben quintos a morro y con telarañas tatuadas en los codos.

En las barberías, los mulatos se hacen afeitar a navaja. Unas amigas se depilan las cejas entre ellas y se dicen: Si te las hace una peluquera, que duele, ¿por qué no te las puedo hacer yo? Los pensionistas deambulan con pantalones tejanos de pinzas y se cuentan que no les dejan fumar en casa y que han salido para hacerlo medio a escondidas, así algunos han pasado de la clandestinidad política a la sanitaria. La democracia la fueron conquistando estos hombres y mujeres calle por calle, árbol por árbol. La democracia es una cosa que se puede tocar, y que esta gente tuvo en sus manos durante días seguidos y noches enteras. Conseguir un colegio público en un barrio que no lo tenía; la construcción de un ambulatorio donde no llegaban los médicos; dejar una plaza sin edificar para que los niños jueguen; hacer un polideportivo para que el único deporte no sea apedrear perros; lograr que pase el autobús por donde no pasaba nada o que llegue el metro a donde no llegaba para poder ir al trabajo sin necesidad de pisar charcos, sin aguantar la lluvia y el frío de la madrugada, sin andar por los descampados que separaban el barrio de los trasportes públicos, esa es la democracia que hicieron realidad estas gentes encerrándose en los locales de sus asociaciones de vecinos, encadenándose a verjas, cortando el tráfico, protestando en la calle, luchando. La democracia es algo que se ve y se toca, y donde no se percibe es que no la hay. La democracia es ante todo una cosa de manobras porque en última instancia se hace con las manos. Y todo esto que ya está, los ambulatorios, las bocas de metro, los colegios públicos..., es también lo primero que se pierde cuando desaparece la gente que lo ha traído. Quienes llegan detrás creen que eso lo pone la naturaleza, como las hierbas y los saltamontes. Pero lo pone la política, y las cosas hay que conquistarlas permanentemente. Lo primero que ha quitado el Gobierno de Convergència al recobrar el poder ha sido eso: bocas de metro, guarderías, maestros y hospitales públicos, porque las personas que los pusieron o se han muerto o ya no están para defenderse.

Mi amigo Toni Disco se quedará contemplando a una pareja de viejos a la puerta de un edificio. Frágiles y solemnes, erguidos y temblorosos, el hombre lleva un bastón, y Toni Disco va a cogerme del codo y me dirá que tendría que pintarlos porque son nuestro gótico americano. Pero al final Toni Disco se ha puesto en la plaza Roja de Ciutat Meridiana. Muchos lugares de Barcelona tienen su plaza Roja, que es el nombre que le daban los comunistas a las plazas de sus barrios en cuanto salían elegidos concejales. Todas estas plazas Rojas tienen en común lo feas que son, su falta de verde y de ecologismo. Plazas planas de cemento y hierro. Tienen más de medalla que de plaza. La plaza Roja era una insignia que se ponían los barrios conforme iban avanzando por el terreno de la democracia. En los solares donde se construían las plazas Rojas habían empezado las primeras concentraciones vecinales, de esos lugares partirían las primeras manifestaciones, las primeras revueltas, se darían los primeros mítines. Se llamaban así por la plaza Roja de Moscú, por supuesto; pero lo trascendental no es lo de roja, sino lo de plaza. Nada existe más revolucionario que una plaza. Es en las plazas donde se forma la voluntad del pueblo. La plaza de Catalunya, la Puerta del Sol. La plaza de la Bastilla, en Francia; la plaza de Tlatelolco en México; la plaza de Timişoara, en Rumanía; la plaza de Tian'anmen, en China; la plaza de la Independencia, en Ucrania; la plaza de la Kasbah, en Túnez; la plaza de Tahrir, en Egipto; la plaza Sintagma, en Grecia. Y la plaza Roja de Sant Roc o esta plaza Roja de Ciutat Meridiana.

Toni Disco empieza a esbozar en el centro del lienzo una multitud, aunque en realidad la plaza está desierta. Mira, así es como la veo, con tu padre y con el mío liándola. El padre de Toni Disco nos llama revisionistas siempre que nos encuentra por la calle. Está convencido de que los americanos nos han lavado el cerebro a todos los amigos. El padre de Toni Disco es un viejo comunista suscrito a la editorial Progreso de Moscú, de los que la poli iba a buscar cuando Franco visitaba Barcelona. Trabajó de practicante hasta que se jubiló, de manera que podría considerársele con todo derecho un comunista practicante. A quien no ha podido pagarle su servicio no ha tenido inconveniente en pincharle gratis. En nuestro barrio hay poca gente que no deba agradecerle un favor al padre de Toni Disco. Pero a vosotros os han comido el coco los americanos, eso es lo que nos dice siempre que nos ve. Es un hombre alto y elegante, de traje y corbata diarios y voz rasposa. Se junta a veces con un primo de mi padre que es albañil y que ha militado en el PSUC y en su escisión prosoviética del PCC, y que luego iba a pasarse a los comunistas de Ignacio Gallego, pues los suyos le parecía que se estaban haciendo muy nacionalistas. Mi pariente también nos dice que nos hemos encontrado la vida demasiado fácil y cree que somos unos señoritos como los estudiantes de la plaza de Tian'anmen. No se merecen que los traten de otra manera, porque esos lo único que quieren es dejar China y que les den una beca para irse a Estados Unidos, repite para aleccionarnos.

Toni Disco alza el pincel y va desplazando el dedo por el mango para estudiar la altura, las proporciones de los bloques que rodean la plaza Roja de Ciutat Meridiana. Está absorto en su pintura y canturrea unos tangos de Enrique Morente: Que me van aniquilando la gente anda diciendo, y sigo por mi camino, que las nubes las destruye el viento... Se ha puesto a dibujar el edificio más castigado. Este cuadro tampoco lo voy a terminar, Javier.

7
La lluvia ácida

Me harán humorista los tebeos y así voy a comprometerme con el humor antes que con el lirismo. Pero el humorista y el poeta comparten el mismo fondo, ambos obedecen a un pensamiento de tipo analógico. El humorista convierte la metáfora en disparate, ve la ilación entre dos conceptos de diferente rango, de distinta clase social. El humorista es un lírico metido en la lucha de clases. Leyendo libros de física, de química, de geología, de ciencias naturales, preferiré la frase por encima de la idea. De un tratado oceanográfico me atraerán los versos más allá de la información. La mayoría de las holoturias respiran por el ano, pone en un párrafo, y en ocasión de peligro se evisceran arrojando su tubo digestivo, que luego regeneran también por el ano. Mientras leo esto quedo convencido de que lo mismo nos puede ocurrir a la mayoría de nosotros, y que también da para escribir un cuento de alguna forma kafkiano. Los científicos son humoristas de la palabra, que escriben frases para que luego las diga Antonio Ozores: Los frústulos de las diatomeas se sedimentan por gravedad (y era necesario precisarlo, porque hasta entonces se creía que nunca llegaban al fondo marino). El lenguaje científico irá haciéndome filólogo de una forma más inmediata o menos diacrónica que los manuales de Rafael Lapesa, Zamora Vicente, Menéndez Pidal; pero de esto me voy a dar cuenta ahora, cuando lea las novelas de Ferrer Lerín, un ornitólogo de Barcelona instalado en Jaca donde se dedica a la conservación de las aves necrófagas, y que ha ganado el premio de la Crítica con su libro de poesía *Fámulo*. Francisco Ferrer Lerín fue el más nuevo de los novísimos y por eso, sin él, se quedaron en nueve. En *Plantas medicinales o el Dioscórides renovado* de Font Quer, o en su *Diccionario de botánica,* en el diccionario de *Términos mineralógicos y cristalográficos* de Díaz G. Mauriño, en la *Limnología* de Ramón Margalef, lo que iré buscando será el léxico, pero no la palabra que le corresponde a cada ser, a cada objeto, como el nombre exacto de las cosas que Juan Ramón le exigía a su inteligencia. Lo que practicaré será un esoterismo lírico heredado de las correspondencias de Baudelaire, de su creer que las palabras las crea la naturaleza. Me volcaré en una alquimia heredera de la relación, de la analogía, entre el hombre y la vida como la que señaló Paracelso en su medicina. En los diccionarios de botánica, y esto es lo que he comprendido al fin, buscaré la palabra popular, cómo llaman, por ejemplo, a las plantas en los pueblos y qué piensan sus gentes de ellas y del mundo. Buscaré todo el lenguaje castellano, todas sus formas las veré reunidas en libros de flores, plantas, reptiles, pájaros, ríos, orografía. Sobre el gordolobo leeré, en el

Dioscórides renovado, que le dicen también guardalobo y engordalobo, y que su nombre viene de la voz romance *codalobo,* y a su vez del latín medieval *cauda lupi,* rabo de lobo. Es la yerba a la que acuden las comadrejas buscando un remedio cuando les muerde una víbora. La gente de la India cuenta lo mismo pero con una cobra. Y a propósito de las comadrejas, Menéndez Pidal explica en *Orígenes del español* que la palabra es una derivación de *comadre,* y que en muchas partes también les dicen paniquesas pues su pelaje pardo y blanco recuerda el pan y el queso. Con estas apostillas me acelero como si me hubiese metido mil gramos de lecturina (la medicina que ha descubierto y de la que provee Emilio Manzano a través de la televisión, y a través de su amistad, y de sus traducciones, de sus publicaciones en la prensa, y de su, hasta el momento, único libro, único en todos los sentidos, escrito en delicioso catalán de Mallorca). Se me disparará el corazón leyendo a Menéndez Pidal, y donde él indica que el origen de la palabra *paniquesa* viene de una comparación entre colores yo ya veo mitología, veo a la comadreja del dios Pan, que no es pánica sino que hace el mismo femenino que duquesa para ser paniquesa. También paniquesa porque es de los bosques y porque su fama sanguinaria infunde un miedo pánico en los otros animales.

Ahora escribo con todos estos manuales y diccionarios a mi espalda, y siento permanentemente su vecindad igual que los personajes de Lovecraft presentían a todas horas una presencia ominosa. Son lecturas que se van recastando en la casta nueva de la escritura. Todos estos diccionarios los he ido metiendo en los artículos del periódico, en unas crónicas donde el paisaje era el de mi barrio, era la botánica nitrófila de los solares abandonados, la escorrentía de cloacas contaminadas; donde la palabra poética he ido a comprarla directamente a fábrica cuando no me la he encontrado en medio de la calle. (La gente tira muchas palabras viejas porque se cree que ya no sirven.) Escribiendo estas páginas, a la poca luz de un mediodía opacado por nubes y dióxido de carbono, repaso las crónicas literarias que desde hace ocho años estoy dando en la redacción de Barcelona de *El País,* y desde el mismo teclado con que explico todo este barcelonismo mío iré bajando el volumen del flamenco que tengo puesto, a medida que los cantes me vayan distrayendo del texto.

Se anda como se escribe. Desde el primer día andaré por Barcelona extraño como alguien que ha llegado del campo (pero no del campo de la cultura), igual que el *cowboy* de medianoche, y cuando vuelva al barrio en autobús iré hundiéndome en el asiento en homenaje a su amigo Ratso camino de Miami. Los personajes de la película, Joe y Ratso, como aquellos dos caracteres que vio Stevenson en su conciencia, son en mi corazón delator dos escrituras a elegir.

Por la calle de la Democràcia, de Badalona, voy a pasar a diario imitando yo la cojera de Ratso. Entonces tendré todo el día puesta *Cowboy de medianoche* en el vídeo. Atravesaré la calle de la Democràcia en busca de Laura y el paisaje del barrio se me irá enganchado en los ojos, se me meterá en los huesos como va calando este frío húmedo de la ciudad. Laura estudia derecho y ayuda a su familia en un bar que tienen en Barcelona, en el casco antiguo. El sitio se llamaba L'Avenç, pero cuando lo cogió su padre, emigrante gallego recién llegado del Uruguay, le cambió el nombre y le puso El Pinar. A Laura iré igual que se vive, con el miedo de vivir y con el miedo de morir. Amaré desesperadamente su paisaje, todo lo que lleva a sus bloques. Los cristales rotos en medio de las calles, las aceras estrechas, las farolas parpadeantes, las paredes renegridas por los transformadores eléctricos que han ardido. Su Badalona de las afueras de Badalona. Llefià, La Salut, Sistrells, Lloreda, barrios que se van superponiendo por la montaña. Que se suceden a lo largo de una cadena de cerros y laderas que entrelazan Badalona y Santa Coloma de Gramenet. Viven en esta franja fronteriza ochenta y ocho mil personas. Son barrios degradados por la suciedad, donde las viviendas se han convertido en infraviviendas, donde muchas de las casas no reúnen las condiciones legales de habitabilidad. La inmigración original que ha podido escapar de estos sitios les ha dejado la cama caliente a los que llegan ahora de África, Asia, el este de Europa; pero con treinta, cuarenta años de calor y humedad acumulados, amontonados como sábanas sucias. La gente que llegó de los lugares más pobres de España está cediendo su hueco a la gente que llega de los lugares más pobres del mundo. Lo que les dejan son casuchas viejas, pisos destartalados, que fueron fabricados con los ladrillos, el hormigón, el yeso más baratos. Y tampoco ha habido luego dinero para adecentarlos ni para un mínimo de mantenimiento. Les alquilan las casas no con un alquiler general sino a tanto por persona, y así los que llegan no pagan por vivir en un sitio; pagan por estar vivos en un sitio. Entre esos restos de lo que ya nadie quiere es donde se conglomera esta nueva sociedad.

Lo que ha pensado Laura es especializarse en derecho medioambiental. Antes que el derecho a trabajar preferirá defender el derecho a respirar. Vive en la parte más alta de Lloreda y yo asciendo por su barrio a pie, es decir escribiendo. Escribiré andando desde mi bloque que está junto a la playa todavía olvidada y junto al que ha sido durante décadas el río más contaminado de Europa. Lo fue a partir de los años setenta, cuando se trasladó la industria barcelonesa, especialmente la química, a la comarca del Vallès y utilizaron el río Besòs de alcantarilla. En su viaje hacia el mar, pasará el río delante de nuestros bloques con su corriente de espumas y dioxinas. El penacho de polución que forma el humo de las fábricas lo va a empujar el viento, que siempre viene de Mataró, hacia la zona de Santa Coloma. Irá cargándose el aire de estos barrios de dióxido de azufre, y cuando llueva lo que va a caer es una lejía que en los años ochenta se llamará en todas partes lluvia ácida. Así iremos aprendiendo química en el instituto con el profesor Liborio, con su bata blanca, su bigote negro y su tiza rota entre los dedos. Al ir a clase de laboratorio diremos que toca liboratorio, y se pondrá él a reír. El dióxido de azufre se escribe en química SO_2, y cuando hay humedad en el aire el agua (que se escribe H_2O) lo transforma en H_2SO_4, en ácido sulfúrico. Con estos criptogramas, a través de esta escritura enigmática, comprenderé qué es la lluvia. Los muros de cemento que canalizan el río, las paredes de las fundiciones que hay en el barrio, todo ese hormigón consumiéndose a cielo descubierto, todas esas fachadas tristes y corroídas por el humo y por la lluvia como si les hubieran echado encima cubos y cubos de salfumán, toda la ropa tendida sucia de un polvo negro, son los ejemplos prácticos con que me impregnaré de una química general, del estudio de las propiedades, constitución y transformación de la materia, que también me irá transformando a mí en un ecologismo de clase, y con el que iré levantando mi panteón adolescente de santas alemanas: Rosa Luxemburg, Ulrike Meinhof, Petra Kelly.

El ecosistema que lleva hasta los bloques de Laura lo forman edificios enormes y calles unidas por interminables cascadas de peldaños de hormigón. Los viejos suben las cuestas apoyándose en los coches aparcados para tomar resuello. Y es aquí donde el ayuntamiento de Badalona le ha puesto el nombre de Democràcia a una calle, en la zona conocida como los planetas porque las otras calles se llaman Mercuri, Venus, Urà, Orió... De esta manera la democracia es la representación de nuestro planeta en el callejero, y quizá sea este el gesto más lírico de la humanidad desde que Carl Sagan hizo la serie *Cosmos*. Al principio de la calle de la Democràcia lo que hay es una señal de dirección prohibida. De la misma forma que la naturaleza enseña con sus fábulas, la ciudad lo hace con sus señales de tráfico. Es una calle larga, eso sí, y la atraviesan en su viaje algunos callejones edificados con casas de hormigón de una planta y puerta de madera. Parecen a ratos casas de pueblo y a ratos la rebaba del barraquismo. Esta mezcla entre campo y extrarradio sirve asimismo para describir la fisonomía de la gente de los barrios, de las ciudades que rodean Barcelona. Los pies se me irán impregnando de todo ese cemento, y también de democracia, en la subida que lleva a los bloques de Laura. Porque la democracia es eso, es llegar a los sitios andando. Ir a pie es la democracia directa. Es más democrático ir a pie al trabajo que ir en helicóptero al Parlamento. Durante la transición, desfilarán por el extrarradio carruseles de coches con banderas rojas, carteles comunistas, pegatinas socialistas, megáfonos en la baca; pero esto será la propaganda. La práctica, las manifestaciones, se harán andando, a pie, en pie. Será yendo en busca de Laura como mejor asimilaré la poesía de Antonio Machado, y sus zapatos de hombre que anda por la poesía. La democracia de quien va a pie es la democracia del pobre, y la del pobre no es la misma que la democracia del rico.

Chinos, magrebíes, latinos, subsaharianos..., están llenas estas calles de niños de todo el mundo que ya han nacido aquí. Cruzan corriendo la calzada y juegan a cualquier hora entre coches aparcados en doble fila, latas tiradas en el suelo, gatos despelechados y palomas muertas, como los niños de antes. Al verlos voy a sentirme más cerca de ellos que de los hijos de mi familia, que ya no les dejan jugar en la calle. Voy a verme en esa chiquillería y lo que encuentro en ella es que venimos del mismo sitio, de las afueras. Todos hemos sido un poco chinos, un poco muy lejanos, en nuestros bloques.

No hace mucho, la comunidad china de Santa Coloma quiso poner pórticos en las calles a la manera de un Chinatown, y el ayuntamiento no les dio permiso. Se concentran más de dieciséis mil chinos en la parte de San Adrián, Badalona y Santa Coloma. El agonizante polígono industrial de talleres y pequeñas fábricas que hay cerca del mar lo han resucitado y lo han convertido en un océano vivo de tiendas mayoristas con escaparates enormes y rótulos ostentosos. Todo está escrito en hanzis, los caracteres chinos; pero a veces también trascriben en catalán: Tigre Afortunat, S.L.; o en castellano: Calzados Chinos Caminar Feliz. Estos locales albergan laberintos de comercios atiborrados de paraguas, abrigos, farolillos, teléfonos móviles, discos duros, zapatos, muñecos, banderas del Barça y del Real Madrid, flores de plástico, artículos de regalo, y tienen también restaurantes para que coma la gente que va a comprar, y a sus puertas se ponen vendedores ambulantes con verduras asiáticas cultivadas en el Maresme. En los días de la Feria de Abril se amontonan percheros llenos de vestidos de faralaes; en navidades, se apilan objetos decorativos para el árbol y luces y papanoeles trepadores de los que se cuelgan de los balcones; para la Diada Nacional de Catalunya, todo rebosa de banderas catalanas; en el mundial de fútbol, todo de banderas españolas. Continuamente entra y sale gente de estos almacenes. La mayoría son clientes orientales, pero asimismo vienen payos, moros, gitanos, que venden en los mercados ambulantes o que tienen comercios en sus barrios. Las furgonetas astrosas de unos y los Mercedes lujosos de algunos se mezclan montados en las aceras, entre palets de mercancías, carritos de supermercado llenos de objetos y tráilers con matrícula de Italia o de Polonia aparcados frente a esas naves industriales.

China es un país muy importante, China es como Michael Jackson, así me lo explicará el presidente de una asociación de empresarios chinos, en su sede junto al mercado municipal del barrio de Fondo. Chinatown no existe, es una mentira, puntualiza y remacha: en Santa Coloma no hay ningún Chinatown. Es un hombre de cuarenta y tres años, que lleva diecinueve en Barcelona. Tiene porte atlético y le gusta marcar musculatura. Se llama Jinyun Ye, pero para simplificar prefiere que le digan Chang. Al fondo de la sala está puesta la NTDTV (New Tang Dynasty Television), una cadena anticomunista que emite en lengua china desde América, y bajo el televisor hay una pila de periódicos impresos en su idioma. Bullen por las calles del barrio los talleres de confección clandestinos y los pisos donde viven hacinados sus compatriotas. Por todas partes hay ultramarinos que llenan los escaparates con botellas de ginebra de fabricación española y licores de la marca WuLiangYe (The Ming-dynasty Old Cellar). Las cajas de ahorros y las farmacias han empezado a contratar personal oriental para atender a la nueva clientela. A muchos chinos se les ve fumando solitarios, sentados en los bancos de la plaza del Rellotge, con su traje recto y oscuro y el pelo fosilizado y brillante. No se sabe si están dejando pasar el tiempo o esperan a que su tiempo venga.

Los vecinos más antiguos les observan en pie, en corrillos. Son ancianos con gorra de visera, chaquetilla de punto y las fundas de las gafas asomándoles por el bolsillo de la camisa. Forman parte de una emigración que ya se ha jubilado y que contempla a otra que ha llegado aún de más lejos para relevarla. Los trabajadores del barrio vienen ahora de China, pero también de la India, Pakistán, Marruecos, Senegal, República Dominicana, Ecuador... Están todos juntos aquí, muchos siguen usando las vestimentas de su tierra, viven en estas calles que roturan una montaña salvajemente urbanizada. En el número cuatro de la calle Liszt, junto a la calle del Rellotge, explotó una noche del año dos mil dos un edificio, no murió nadie; pero hubo heridos y diecisiete familias se quedaron sin vivienda. Se dijo que fue por una bombona de butano. Del bloque sólo aguantaron enteros la fachada y el último piso. Avanzada esa calle, en el número noventa y tres, detrás de una persiana metálica abollada estuvo la mezquita del barrio hasta que la cerraron por falta de licencia. Se repiten en esta zona las peleas callejeras entre asiáticos, africanos, latinos. Una vez encontraron en un descampado de la calle Liszt a un marroquí calcinado dentro del maletero de un coche. En enero de dos mil cuatro, unas calles más abajo, se derrumbó otro edificio durante la reparación de una fuga de gas. Esta vez murieron en la explosión un operario de la compañía que tenía veintiocho años y una vecina del bloque, de veintiséis años. Hubo veintidós heridos y se desalojó a veintiuna familias. Ahora ocupa su lugar un edificio nuevo. Es más alto, tiene más pisos, y de esta manera la compañía del gas ha devuelto la vivienda a los vecinos y se ha costeado la construcción del bloque. Cada mes de enero aparecen pancartas conmemorativas en los balcones.

A unos pasos de este lugar se encuentra el principio de la calle Mozart. Es la más empinada de todas las del barrio y remonta la colina desde Fondo hasta Lloreda. La forman hileras de edificios desiguales donde las porterías están desencajadas y permanecen abiertas todo el rato. Terrazas con palomares, ventanas tapadas con cartones, escaleras llenas de mugre que huelen a humedad. De entre la oscuridad de los pasillos se distingue la pintura desconchada de las paredes y los peldaños mellados. Han dejado en medio de la entrada un montón de trastos, un carrito de bebé destartalado, manillares de bicicletas trabados en las barandillas. En las paredes los niños apuntan sus nombres con tiza y los jóvenes hacen pintadas en árabe donde lo único que se ve en alfabeto latino es un viva a Gaza y otro viva a Usama Benladen. Hace poco reventó una tubería de aguas fecales en un bar de esta calle. El dueño hizo una regata con serrín para guiar el agua desde los lavabos hasta el sumidero de la acera. Era sábado y el agua del váter estuvo paseándose por la calle todo el fin de semana. Nadie protestaba por el penetrante olor a mierda. La gente arrugaba la nariz al pasar y ponía cara de asco, pero se resignaba. No es distinta la dignidad del que protesta que la dignidad de quien se resigna. La calle Mozart, más estrecha que ancha, atraviesa la frontera entre Badalona y Santa Coloma, y al principio tiene una acera en cada municipio. En los bares de una acera los moros adultos, vestidos con sus americanas viejas, juegan al parchís, y los moros jóvenes, vestidos de vaqueros y sudadera, se reúnen a la puerta y fuman kifi, y enfrente en los bares de la otra acera los descendientes de la emigración interior beben botellines de cerveza, en chándal y sin afeitar, y también fuman kifi. Por la parte baja de la calle, hay un centro rociero que los domingos levanta su persiana metálica a la hora del vermut, y del que salen olés y palmoteos y niños obsoletos de camisa a rayas y cordón y medalla. Paredaña está una sede del Sindicat Liberal Obrer de Catalunya, fundado por emigrantes norteafricanos y latinos. En un garaje, varias porterías más arriba, se sienta un hombre con una cazadora forrada de papel de aluminio y se pone a oír canciones de Madonna mientras va bebiendo latas de Voll-Damm. A todo el que pasa le dice el título de la canción. *Hung Up,* tío, *Hung Up,* ring-

ring-ring, se-o-yel-te-le-fón. Y la melodía del sampler de Abba se va de la canción y parece que vaya a redimir todo lo que ocurre en esta calle. Ahora me dará rabia que no me hubiese gustado Madonna de chaval. Ahora, que lo que se lleva es Lady Gaga, y Madonna y yo ya somos dos carcamales que se ponen como motos cuando suena una buena canción de los setenta. El tipo de la lata de cerveza también lo es, un carcamal, una carroza de la cabalgata pop. Debemos de tener la misma edad él y yo, y quizá por eso sentimos igual. Nos sentimos a salvo cuando la música empieza. Pero lo que en esta canción me une verdaderamente a Madonna y al tipo es la simpatía por Abba, por sus cabellos rubios y sus ropas blancas, de un blanco de la odisea en el espacio dos mil uno. Diabólica simpatía por esa música de elois para que la bailen los morlocks.

Suben por la calle Mozart unas mujeres latinas, gordas y obsequiosas, que andan despechugadas para enseñarle el nuevo continente a quien pase cerca de ellas. Los barberos negros abren peluquerías afro y ponen en las cristaleras fotos de modelos blancos. En una carnicería *halal,* es decir, que vende carne de animales sacrificados conforme manda el Corán, un argelino despacha y guardan turno mujeres de abrigo largo, pantalones anchos, pañuelo cubriéndoles el pelo y monedero bolso desplegable. Se amontonan los súper de los indios y de los bangladesíes, abigarrados y coloridos, y los locutorios de los paquis y de los latinos con anuncios de tarifas y de envíos de dinero y con mostradores oscuros y relojes que dan todas las horas del mundo y le recuerdan a quien entra que pertenecemos a todas las horas del mundo.

En las calles vecinas se encuentra la autoescuela An-Lé, se encuentra la zapatería Kangnai, se encuentra el videoclub locutorio Bangla Telecom, se encuentra la peluquería Douieb Said, se encuentra el restaurante-marisquería Fu Lin, se encuentra el bar Latino Kebab, se encuentra la carnicería Victoria, que vende un cuscús elaborado en Casablanca y que tiene un papel pegado con celo a su fachada donde alguien que se llama Hamid se ofrece para reparaciones de fontanería y de gas, se encuentra el bar Alhambra, que da tapas de siempre, se encuentra el bazar Al-Andalus, que vende alfombras, cojines, pipas de agua, taraceado, y se encuentra el bar La Escapaíta, que ahora lo llevan unos chinos y así se ha convertido en una casa de comidas china y tras sus claras cristaleras se ven las mesas de formica ocupadas por cuencos y palillos y a los chinos encorvados comiendo sus tallarines con los ojos cerrados.

Por todas estas calles va escribiendo sus caligramas el autobús de la periferia, amarillo como un submarino de dibujos animados. Subiré al autobús para leer y escribiré al andar. Subiré un domingo de sol, de periódicos abultados y olor a pollo a *l'ast* con *El País* bajo el brazo como si la actualidad fuera el pan del que me voy alimentando. Los egipcios gastan casi la mitad de su renta en alimentos: en los países más pobres ese gasto se lleva hasta dos tercios de los ingresos de una familia media, es lo que dicen las páginas de Negocios, que tienen ese color asalmonado, untuoso, del dinero. En Egipto han derrocado a Mubarak, y después de las noticias del mundo la información se vuelve más triste y se acaba hablando otra vez de si la ficción cabe en un artículo de opinión. A la hora del almuerzo voy a pasar en el bus por todos estos barrios de gente que se arremolina en torno a Barcelona, iré con el diario abierto en canal, con las noticias de la nueva escasez de alimentos debida a las sequías y a las inundaciones del cambio climático, a la expansión de los cultivos dedicados a producir biocombustibles, a la restricción de la exportación de trigo en Rusia y en Ucrania..., y en el asiento de atrás, una chavalilla con trenzas y ropa de colores, que se ha querido vestir como de hippy sin tener todavía la ropa necesaria *(todavía* es siempre sinónimo de dinero), también irá leyendo un libro. Pero ella pasará por encima de estas calles como la hoja de un cuchillo, cortándolo todo igual que atraviesa las letras con sus ojos abiertos de par en par.

8

Una noche en el observatorio Fabra

Siendo de barrio, no querré yo ser de barrio, donde tan difícil es leer, sino ser del espacio exterior, pertenecer a otra nada más lejana y más oscura y también más infinita. Sin entender del todo lo que pone en los libros de divulgación que voy leyendo, atravesaré las veintiséis dimensiones de la teoría de las supercuerdas. En los mundos paralelos entraré por las puertas de la difusión científica y de la ciencia ficción. Querré copiar, prisionero de Philip K. Dick en mi genética literaria, su libertad de cautivo, su gesto de hombre encerrado en el castillo que hace lo que le da la gana. Philip K. Dick es un Proust que no escribe en proustiano, que no escribe dejando en las sábanas migas de magdalena sino empastillado; pero el artista que hay detrás de ambos es el mismo. Son escritores que al magma de la sociedad le devuelven una literatura magmática. La sinuosidad verbal de Proust es la sinuosidad de la acción en Dick. Si en Proust hay un barroco burgués forjado con frases subordinadas, como el dinero se forja sobre las clases subordinadas, en Dick lo que se subordina hasta desvanecerse es el punto de vista. Un personaje de Dick va cambiando de la vida a la muerte, de una situación anómala a otra todavía más extraña, sin dejar de ser todo el rato el mismo personaje, un paranoico con el corazón destrozado por el deseo. Tras leer a Philip K. Dick corre uno desesperado a poner las *Lachrimae* de John Dowland, igual que leyendo a Proust acabaré pegado al YouTube delante de las filmaciones de Sarah Bernhardt. Philip K. Dick quiso hacer novela proustiana, pero desde el primer día quedó atrapado por la dependencia económica de la ciencia ficción. Cuando escribe su mejor novela al margen del género, la titula *Confesiones de un artista de mierda*. De su literatura, de su ciencia ficción, querré aprender a no tenerles miedo al tiempo y al espacio narrativos. Veré con él que el tiempo literario contiene aún más relatividad que el de la física. Que el tiempo no importa porque se ha desarticulado; porque todo, presente, pasado y futuro, está ocurriendo o siendo a la vez, y de esa manera hay que escribirlo. Todo, todo, todo, al mismo tiempo.

Las novelas de Philip K. Dick me las pasará mi amigo Ignasi, con sus gafas de lector inconformista, su nariz combada de no sé qué tribu mediterránea y su cicatriz en la barbilla desde niño. Ignasi es unos años mayor, y ha recorrido Europa en autoestop como los hippies de primera hora. Ha recogido fruta por todos los campos cultivados desde Lleida hasta Grecia y de este modo se ha cultivado él. Ignasi es el escéptico que vive ilusionado por todo. Una noche de juerga acabará agarrado a la taza del váter y al encontrármelo le preguntaré: Pero, Ignasi, ¿sabes dónde estás? Sí, en el paro, será su respuesta. Las novelas las trae en la mano como el predicador que lleva un revólver. Con él, solo se puede quedar a horas estrambóticas, a tal hora y treinta y seis minutos, a tal otra y once minutos, y entonces, con un porro finísimo en los labios, se presentará fascinantemente en el minuto exacto, en el sitio, en el banco del barrio, donde nos hemos citado. Vendrá agarrado de algún libro de Dick de la colección Nebulae, de Minotauro, de Miraguano, de Ultramar. La mayoría tienen las cubiertas agrietadas por haberlos llevado abarquillados en el bolsillo de la cazadora. Son dilaceraciones del papel, cicatrices a través de las que se ve el cartón blanco de las tapas. Cuando me preste mi primer libro de Philip K. Dick, que se titulará *¿Sueñan los androides con ovejas eléctricas?*, lo único que sabré de Dick es que esa novela ha inspirado la película que Ignasi y yo hemos ido a ver varias veces en un mes. Es septiembre, y yo ya voy volviendo al instituto con la cabeza llena de androides orgánicos y de polvo radiactivo, de continua lluvia radiactiva que no ha parado de caer desde una última guerra mundial, y me siento ahí afuera, en la literatura, como en casa, porque por entonces San Adrián seguirá estando más cerca de *Blade Runner* que de Barcelona.

Pero me acercaré a las estrellas también desde la Rambla, al pasar por delante de la Reial Acadèmia de Ciències i Arts de Barcelona, que está encima del teatro Poliorama y por eso no la ve nadie. Desde mil ochocientos noventa y uno, el reloj de la academia ha dado la hora oficial en la ciudad y antes la gente iba allí para ajustar el suyo. Todavía hoy algunas personas conservan esta costumbre. Son viejecitos que se plantan ante la fachada con su reloj de bolsillo en la mano, o que entran en el edificio y suben las escaleras hasta el rellano donde otro reloj también da la hora oficial. Esperan a un momento exacto, a un minuto en punto para ponerse en hora y vuelven a la calle. Dentro de la academia se expone en una sala una pequeña y deliciosa colección de relojes y de antiguos instrumentos de cálculo astronómico. Una de las joyas que conservan es una azafea de Azarquiel fabricada en latón a mediados del siglo XIII. Se trata de una especie de astrolabio de carácter universal. Estuvo en la academia el primer observatorio astronómico de Barcelona, pero muy a principios de mil novecientos la incipiente contaminación lumínica de la ciudad obligó a desplazarlo a la montaña del Tibidabo.

Al observatorio astronómico del Tibidabo subiré una noche de verano. Este observatorio es otro de esos lugares secretos y antiguos consagrados a la ciencia que aún quedan en la ciudad. Ahí pasea entre la niebla de las mañanas el espectro de Camille Flammarion. Y otro lugar donde se podía sentir la presencia de un espíritu, esta vez el de Charles Darwin, era el museo de zoología, en el Castell dels Tres Dragons, dentro del parque de la Ciutadella. Al entrar en el edificio, se encontraban los visitantes bajo el enorme esqueleto izado de una ballena. (Un esqueleto de ballena, quizá sea ese el gran emblema del XIX.) El castillo, que se construyó para la exposición universal de mil ochocientos ochenta y ocho, es obra de Lluís Domènech i Montaner, aunque la abandonó casi al final y lo acabó otro arquitecto. Pero hace poco el museo de zoología de este edificio lo cerraron definitivamente y se lo llevaron al Fòrum para hacer un nuevo museo de las ciencias naturales que al principio querían llamar Espai Blau (espacio azul), y que al final se ha quedado en Museu Blau. Durante el desmontaje para el traslado, se les cayó el esqueleto de ballena y se rompió por la mandíbula, pero pudieron repararla. Exactamente esa misma sensación de puñetazo, de fractura de mandíbula, es la que tengo cada vez que a un museo, a un cine, a un restaurante, a una galería de arte, a una biblioteca, le llaman espacio. Pero de eso ya me he quejado en este libro. Un esqueleto roto de ballena es lo más parecido al espíritu romántico. No puede haber más idealismo en un puñado de huesos.

En el observatorio astronómico del Tibidabo no se sabe muy bien si se está en el siglo XIX o es puro siglo XX. Lo edificó el arquitecto modernista Josep Domènech i Estapà, el mismo que hizo la Reial Acadèmia de Ciències i Arts de Barcelona. Recibe el nombre de observatorio Fabra porque pudo construirse gracias a un legado del empresario textil Camil Fabra i Fontanills, primer marqués de Alella, que había ejercido por unos meses de alcalde de Barcelona. De los herederos de Camil Fabra serán las Hilaturas Fabra i Coats que hubo en el barrio de Sant Andreu. En la misma época en que va a inaugurarse el observatorio, en estos telares se fabricarán de manera industrial, por primera vez en

España, redes para pesca. Hoy, parte de aquellas instalaciones textiles las ocupa un centro cultural que alberga una de las muchas bibliotecas de la diputación. Hay una red de bibliotecas de la Diputació de Barcelona extendida por toda la ciudad y todo lo más amplio de su cinturón, que tiene a la metrópolis entera llena de niños estudiando, de gente de todas partes del mundo queriendo leer el periódico, las revistas, los libros, conectándose a los ordenadores. Todos conectados, todos confraternizados en el mantra solemne de la lectura. La otra parte de la antigua factoría se ha convertido en una explanada de alquitrán con unos bancos y unos árboles, que mandará poner rápidamente el ayuntamiento después de derribar unas casas en ruinas de las que habían desalojado a un grupo de más de sesenta pies negros, marea negra de la especulación inmobiliaria.

El observatorio Fabra tiene en su pórtico de columnas palmiformes y de cenefas vegetales mucho de tabernáculo masónico, de capitolio de una secta fantástica que ha ido a ocultarse en un montículo. Jordi Esteva ha dicho que parece un templo egipcio salido de una viñeta de Tintín, y es verdad que el sitio concentra un exotismo extravagante de profesor chiflado y de extraño viaje. Jordi Esteva, que ha viajado a los bosques más profundos de África, ha sido prisionero en Egipto y ha navegado por las islas de Socotra, estará en el observatorio pasando imágenes de su película *Retorno al país de las almas,* donde retrata los ritos del animismo africano. Las escenas de rituales que iba

84

proyectando aquella noche convirtieron el Tibidabo en un bosque de almas y de repente las sombras empezaron a moverse. En Jordi Esteva hay una sombra que no deja de agitarse y que se la ve pasar mucho por detrás de sus ojos como alguien que anda por detrás de una ventana muy alta. Es un yin, un genio del desierto, que habita dentro de él. Enfrente de Jordi Esteva voy a pasarme un año sentado en la redacción de la revista *Ajoblanco,* mirándonos los dos a los ojos, estudiándonos entonces, a finales de los años ochenta, en la época en la que en Barcelona sobrevivían Paca la Tomate y el bar Kike (con un cipote gigante de yeso flotando sobre la barra, no sé si lo hizo Nazario), en los años en que parecía que ya todo se había ido a la mierda y lo único que ocurría es que todo se estaba yendo a la mierda. Queriendo ser una ciudad cojonuda, Barcelona va a quedarse en una ciudad priápica con la escayola del Kike, el monumento de Miró en el antiguo matadero y la torre de la compañía del agua de Nouvel.

A más de cuatrocientos metros de altura sobre la playa, el observatorio se levanta encaramado en un pequeño promontorio, casi en la cumbre de la montaña. Desde su explanada se puede mirar o bien hacia arriba o bien hacia abajo. Si se alza la cabeza se observan las constelaciones, y a eso es a lo que van allí los científicos. Pero si se baja la vista, como hacemos siempre los visitantes, se contempla anivelada a los pies de la montaña la ciudad entera igual que una red extendida por los pescadores junto al mar. El observatorio está rodeado de pinos y de jabalíes que arriman sus hocicos a las mesas en busca de comida cuando se organiza alguna cena al aire libre. Para que dejen de espantar al personal, el ayuntamiento ha permitido su caza pero sin escopeta, no sé si por encontrarse dentro del recinto urbano. En Barcelona hay un civismo municipal de caza sin escopeta y de calles sin pobres, de que nada moleste a los ciudadanos. Lo que el ayuntamiento ha propuesto es que los maten (a los jabalíes) a flechazos, y a los primeros que ha hecho llegar esta invitación ha sido a los practicantes de tiro con arco, como si en vez de deportistas fuesen personajes de *Orzowei*. Con los del ayuntamiento lo que pasa es que son más de Astérix que de Tintín, aunque luego sueñen lo contrario.

El observatorio consiste en un edificio pequeño, cubierto con una cúpula giratoria plateada por la que asoma el telescopio como un astrónomo de las *Mil y una noches* asomaría la nariz a través de la cúpula de su mezquita. Tiene también algo de faro junto al acantilado, a orillas del espacio sideral, para alumbrar a las naves que puedan llegar del futuro e informarles de que el nuestro fue o va a ser el planeta de los simios.

Iré allí a oír la conferencia de Jordi Esteva y del psiquiatra Jordi Obiols, catedrático de psicopatología que cae una y otra vez en la locura de la amistad. Hablarán sobre los estados alterados de conciencia y van a ilustrar la charla con escenas mágicas de la película de Jordi Esteva, su eterno retorno al país de las almas. Yo también querré regresar a un país o a un lugar que no existe, pero de donde proceden las almas con las que me he criado. Mi bosque de los espíritus va a ser San Adrián, esto es lo que estoy diciendo todo el rato y para eso escribo este libro. Pero cada vez que vuelva al bosque, lo que encontraré serán edificios nuevos y mucha gente que no conozco. Las almas resulta que me las he llevado en los viajes. Voy llevándolas conmigo igual que las familias de los cuentos que se cambian de casa huyendo de los martinicos y, sin saberlo, se los llevan metidos en las devanaderas. Cada regreso a mi país de las almas será una confirmación de que, como decían los de la Polla Records cuando cayó el muro, ya no hay a donde huir, o como dice el Llanero Solitario no hay a donde volver. Así, me quedaré en Barcelona como quien se queda de pensión porque ya no le queda otra cosa. Barcelona es una gran pensión donde los dueños no ponen de comer.

En la velada del observatorio Fabra, cuando asomen sus colmillos voy a identificarme antes con los jabalíes que con la concurrencia. Sentiré que los jabalíes han venido para liberarme de todo esto. Animales sagrados que llegan para rescatarme del mogollón, o acaso, al contrario, para decirme que esta ciudad es mi sitio, como el jabalí mitológico que salió de un zarzal y así les señaló a los jonios dónde tenían que fundar la ciudad de Éfeso. Andaré un buen rato buscando un lugar donde ponerme y lo encontraré entre las mesas y entre las conversaciones de conocidos que también son gente llegada de afuera. Mallorquines, tarraconenses, leridanos, gente de Girona.

O gentes de los pueblos que rodean Barcelona, vecinos de sus barrios periféricos... Uno va a ser de la multitud. Pero no de una multitud social, las mías serán multitudes políticas, es decir, poéticas.

Esta noche se levanta junto al edificio de estilo neoegipcio del observatorio la pirámide sociológica de Barcelona. Todas las ciudades tienen esas pirámides, y en todas las ciudades están construidas por esclavos. Pertenezco yo a una remesa que ya salió de fábrica con las cadenas rotas, de las fábricas a las que iban nuestros padres. La libertad es un libro que escribieron nuestros padres para que lo leamos nosotros. En la bandera negra de mi pecho la libertad está escrita con la primera letra del abecedario, la primera que aprendieron ellos, que aprendimos todos. Detrás de la pirámide sociológica de Barcelona lo que palpita es la pirámide feudal. Si Barcelona la dividimos en tres estamentos, se ve, sobre todo, que el de en medio está hecho de un material impermeable. Los tres estratos de esta pirámide los forman de abajo arriba la multitud, las familias y la élite, que solo es élite. El clasismo de familia, el de la clase interpuesta, es el clasismo endémico de Barcelona. No es un clasismo ni de clase obrera ni de clase dominante sino el de una clase subordinada que ha desarrollado un sentido beato de la jerarquía. Es un clasismo que funciona, antes que por clases, por estratos, y así está ya estratificado, quiero decir fosilizado. En la sociedad barcelonesa siempre hay alguien en medio para evitar que dos personas diferentes entren en contacto. En Barcelona a la clase intermedia le da miedo que las cosas pasen. Le horripila el carnaval de la vida, le horroriza que ocurra como en la canción de Serrat y que por un día el rico y el villano, el prohombre y el gusano, bailen y se den la mano, sin importarles la facha. Para impedirlo están. Aquí la clase intermedia es impermeable, es un estorbo, y a ese estorbo le llaman país. Por encima de su estrato, en la estratosfera, queda el puñado de señoritos extravagantes que cuando dicen toda Barcelona se refieren únicamente a sus dos calles de arriba de la Diagonal, a sus viejas boîtes y tortillerías y a sus recuerdos que se van diluyendo en cenas cada vez más íntimas. Y por debajo del estamento de las familias, lo que se extiende es un magma anónimo y una inmensa plaga de cucarachas que se remansa en las cloacas de Barcelona. La multitud la forma la gente a la que de nada le sirve la familia para valerse, y eso mismo es lo que le impide ser de Barcelona. No se puede ser de esta ciudad si no se pertenece al estrato de las familias, desde las más poderosas que han desfalcado el Palau de la Música hasta las más modestas que se sienten robadas por ese desfalco. Yo voy a estar más cerca del Rock-Ola, en Madrid, que del Palau de la Música sin haber entrado nunca en el primero. De Barcelona sólo me veré capaz de sentirme cuando vaya a Las Golondrinas, al Museo de Cera o al Rey de la Gamba, que es adonde van siempre los de fuera.

Entraré con un grupo de visitantes en el observatorio Fabra guiado por el profesor Antonio Bernal, un astrónomo colombiano. Y así, a lo largo de la noche, me he ido transformando chamánicamente en bosque, en mago de la tribu de los akan, en mallorquín que ha venido para estudiar, en oficinista que llegó del Priorat, en maestro que vive en Nou Barris, en jabalí que mete el hocico, en grupo de personas que miran y ahora en científico colombiano. Con la elocuencia de quien ha visto que el mundo es demasiado complejo como para liarlo aún más, Antonio Bernal nos detallará las tareas, las mediciones sismográficas, meteorológicas y astronómicas a las que se dedica este observatorio. Su sismógrafo recibió las ondas del terremoto de San Francisco de mil novecientos seis. Dicen que también recogió hace poco la sacudida que tuvo la ciudad con un gol del Barça (esto es posible gracias a la cada vez mayor sensibilidad de los aparatos). Entre las actividades iniciales del observatorio se encontraban las observaciones de Marte realizadas por su primer director, Josep Comas i Solà, y a quien se deberá el primer plano del planeta rojo trazado en España. Comas i Solà descubrió un cometa periódico al que puso sus apellidos, y once pequeños planetas a los que dio nombres como Barcelona, Hispania y Mercedes (en honor de su mujer).

La nuestra va a ser una noche del mes de julio y el telescopio estará enfocado hacia una estrella doble llamada Albireo. No se trata de una estrella muy brillante, pero cuando se la observa por el telescopio o incluso con unos prismáticos la gente se da cuenta de que es doble, de que hay una Albireo A y una Albireo B. En realidad el cincuenta por ciento de las estrellas son dobles. Lo que aún no se sabe es si la nuestra, el Sol, tiene también su Sol B. Albireo forma parte de la constelación del Cisne, y por una de las alas del Cisne pasa la Vía Láctea. La estrella doble de Albireo disfruta de una particularidad que la hace especialmente bella, y es que las dos estrellas que la componen son de colores diferentes. Una es amarilla, casi dorada, y la otra es azul, como ocurre con los ojos de David Bowie. Están separadas estas dos estrellas entre sí ciento treinta veces la distancia que media entre el Sol y Plutón, si es que Plutón aún sirve como referencia.

Expulsado del régimen de los planetas, Plutón va a ser una alucinación del siglo XX como las ballenas lo fueron del XIX. Plutón no existirá para la humanidad hasta mil novecientos treinta, hasta ese momento nadie va a reparar en su presencia. Pero entonces será descubierto con un estereocomparador, que no es un telescopio sino un microscopio utilizado por los astrónomos para detectar mediante fotografías cometas y estrellas dobles. Apenas sobrevivirá Plutón a su siglo, pues a principios del XXI la comunidad científica le rescindirá su calidad de noveno y último de los planetas del sistema solar. Los científicos van a juzgar que en realidad anda demasiado alejado del resto, y que no tiene el tamaño suficiente. Plutón se verá confinado al torbellino oscuro, destinado a la multitud de los objetos transneptunianos, que son los múltiples cuerpos que orbitan más allá de Neptuno. Como queriendo lavarse la conciencia de esta traición a Plutón, la astronomía creará la categoría de planeta enano, y dentro de ella la clase de los plutónidos; pero el planeta, caído tan joven, ni siquiera alcanzará a liderar el tipo al que ha dado lugar, pues por delante de él va a figurar Eris, un cuerpo celeste que durante poco más de un año ha querido ser el décimo planeta, y al final ha sido aceptado como el mayor de los plutónidos. Será la irrupción de Eris la causante secreta de la caída de Plutón, la provocadora de esta pequeña revolución astronómica, y por eso lleva este cuerpo el nombre que los antiguos griegos daban a la personificación de la Discordia. Ahora Plutón ha vuelto a las multitudes, es de nuevo un ser de lejanías. A Plutón le pasó con el siglo XX lo que a muchos en Barcelona con los años setenta.

Es la más débil, pero fíjense la fuerza que tiene, nos dirá el astrónomo Antonio Bernal señalando a una de las estrellas de Albireo. Siguiendo sus pasos, ascenderemos los empinados escalones en espiral que llevan a la cúpula del observatorio, donde se encuentra el telescopio. Se trata de una reliquia de época, un ecuatorial Mailhat, de treinta y ocho centímetros, que se desliza sobre raíles por el suelo de madera y que funciona con lentes para las que ya no existe recambio, pues ahora los telescopios se hacen de espejos.

Desde la barandilla que rodea a la cúpula del observatorio contemplaremos las luces de la ciudad, su noche encendida de bloques y edificios. Barcelona parecerá ir alejándose de nuestro promontorio como llevada por el mar. A nuestros pies, se arquean los árboles hundiéndose en la niebla. La noria y la atalaya de las atracciones del Tibidabo serán, a nuestras espaldas, dos sombras de hierro que se han quedado fosilizadas en su edad de los metales. De vez en cuando los faros de algún coche que circula solitario por la montaña proyectan fugazmente sus luces sobre nuestra noche astronómica, y como en una película de fantasmas va a recortarse entre sombras el aleteo de los murciélagos. A la salida del observatorio, se yergue frente a un níspero una vieja columna de piedra. La pusieron allí cuando se construyó el edificio y servía para alinear el telescopio con el meridiano terrestre. Era el antiguo y rudimentario método con que se calculaba la velocidad de las nubes.

9
Cambio de guardia

La historia me la contarán en la puerta de un cine de Barcelona, antes de entrar a ver *I'm Not There,* que mi amigo Toni Disco tradujo como No soy Tere. En esta película, seis actores (cuatro hombres blancos, una mujer blanca y un niño negro) interpretan indistintamente el papel de Bob Dylan, y así, en la cola, pensaré que también Toni Disco, Ignasi y yo llevábamos toda la vida representando juntos una misma historia. Pero no será de eso de lo que hablemos, sino del Canareu, un tipo de ojos pequeños y brillantes, grueso, que siempre andaba muy despacio y que por lo menos nos llevaba diez años. Tuvo algunos empleos y una única y eterna cazadora vaquera. La última vez que le vimos vendía mecheros en un semáforo con su cazadora más cochambrosa que nunca; pero de eso también hace mucho tiempo. Luego se esfumó. Creo que fui yo quien sacó el tema: ¿Y del Canareu qué se sabe? Toni Disco e Ignasi encenderán el que quiere ser el último cigarrillo de las siguientes dos horas y entre bocanadas de humo me pondrán al corriente del asunto.

Pero todo empezó con Manel, el hermano pequeño del Canareu, que es quien les explicó la historia.

Un punto arriba, dos abajo, de esta manera Debo le enseñaba a Manel cómo iba el pequeño tricotín que él acababa de regalarle por su cumpleaños. Era un muñequito de madera, una figura de esquimal que cabía en el puño, pintada de rojo brillante y con cuatro clavos en la cabeza, como si alguien lo hubiese coronado rey de los esquimales de madera. Un regalo de seis euros comprado en una tienda de lanas.

Cuando aprenda a usarlo, le dijo Debo, te haré un gorrito. ¿De qué color te gusta? Pero a Manel, que le empezaba a clarear el cabello, le daba apuro llevar tapada la cabeza porque creía que un gorro no hace más que pudrir el pelo. De todas formas no quiso estropearle la tarde a su novia. Negro, le contestó, igual que el de Jack Nicholson. Manel se metió las manos en los bolsillos de la cazadora, que era su manera habitual de ir por la vida.

Debo, ¿sabes lo que dice Frank, el que trabajaba conmigo en el gimnasio? Que ahora vuelve cada día de su nuevo curro en Mercedes. Luego le contó que esperaba una llamada de su hermano, que le había dicho que igual empezaba pronto a trabajar.

Aquella tarde el Canareu no veía el momento de que dieran las seis, hora a partir de la cual le salían gratis las llamadas con el móvil. Se moría de ganas de contarle a su hermano cómo le había ido en el primer día de prácticas. En mucho tiempo nunca había estado tan cerca de algo tan bueno. Durante la entrevista insistió en las ganas que tenía de hacer ese cursillo de carpintería de aluminio. El Canareu se presentó con la cazadora prácticamente recién lavada, y una camisa blanca muy planchada, tan lisa que parecía papel de fumar. Todo aquello era como deslizarse por la nieve sobre un trozo de plástico. Se tira uno con los pies por delante, luego se va de culo, vuelve uno a enderezarse y al final se da el batacazo. Pero en conjunto es divertido. O así lo veía el Canareu aquel día. Antes había pasado las clases teóricas. Eran por la tarde y llegaba siempre el primero, en cuanto acababa de comer, pues no le gustaba quedarse con la gente del centro de acogida donde vivía. Y a la noche también se iba de las clases el primero, porque no quería quedarse sin cena o con el marrón de dormir en la calle. Bueno, Carles, la insertora laboral no se atrevía a llamarle por su mote, te hemos encontrado en Esplugues de Llobregat una empresa para las prácticas. Al Canareu se le escapó una mueca de disgusto, y la muchacha comprendió lo poco que iba a durar en aquel taller. ¡Esplugues! ¿Cómo voy a ir?, al final se atrevió a protestar; pero esa era su manera de resignarse. Ya conforme, se sintió tan optimista como un locutor del telediario cuando habla del Gobierno y le preguntó a la chica si tenía posibilidades de que le contrataran en la empresa tras las prácticas. Con tu certificado de discapacidad parcial, podemos tramitarte una jubilación anticipada, le había dicho el asistente social, pero tenemos un problema, amigo. La Seguridad Social dice que para eso te faltan dos días por cotizar. El Canareu volvió a mirar el móvil esperando que diesen las seis en punto para llamar a su hermano. *Nen,* esta mañana he empezado las prácticas. Dos semanas más, me contratan dos días, me jubilo y ¡fiesta! Se repetía estas palabras como un riff de guitarra. A las seis menos un minuto sonó el teléfono del Canareu. Carles, te llamo de la bolsa de trabajo. Es que nos han avisado de la empresa de Esplugues, porque no quieren que vuelvas mañana. No quieren que sigas en las prácticas. No lo entiendo. Dicen que te cuesta subir las escaleras, bajar del coche...

Al otro lado del mostrador, Frank le dijo a Celso que esa lata de cerveza corría a cuenta de la casa. Estuvieron otra hora hablando de los buenos tiempos del rock, cuando todo era emoción y ganas, y bebieron unas cuantas latas más. Tío, hoy vas a volver a tu casa en Mercedes, le anunció Celso. Cada vez que al taxista se le subía la priva, acababa acompañando hasta la puerta de su casa a aquel gasolinero con el que tantos ratos se juntaba para tomar cerveza, y con quien sólo tenía en común la música. Pero en el rock la música no es la banda sonora de una vida, sino la vida misma. Dejaban atrás el Makro de la Zona Franca como un perro muerto en el polígono, y durante el trayecto Frank le contaba a Celso anécdotas de su anterior empleo en el servicio de limpieza de un gimnasio y de su compañero Manel.

El caso es que llegando al barrio se encontraron con un hombre que les llamaba porque pensaba que el taxi estaba libre. Frank reconoció enseguida al Canareu, el hermano de su amigo, e hizo frenar en seco al conductor. Entonces el Canareu les dijo que quería el taxi para ir a Esplugues y romperle los cristales a una empresa que le había hecho una putada, y les explicó lo que le había ocurrido aquel día. Frank, con el subidón de cerveza, tuvo una idea al respecto, y volvieron a la gasolinera, cargaron con cuatro latas de gasofa y le metieron fuego a aquellos talleres. A los pocos días, pillaron al Canareu, pero no cantó y se lo comió todo solo. Ahora está en la cárcel en espera de juicio.

Cuando Toni Disco e Ignasi vayan a terminar de contarme esta historia, nos daremos cuenta de que toda la entrada del cine está hecha de carpintería de aluminio, mis amigos encenderán otro cigarro y pasaremos los tres de meternos allí adentro como de la peste.

10
El color que cayó del cielo

Ignasi con su gata en el regazo, como una criatura extraña, como una ubicuidad caliente y viva que le va entregando a su dueño lo que hay en ella de calor y vida. Los dos tumbados en el sofá perezosamente mientras las horas de la siesta se suceden hasta que dan las siete o las ocho de la tarde. La gata aprieta los ojos, engurruñe el hocico, se estira igual que una gimnasta niña, igual que una Nadia Comăneci, también silenciosa, también un maillot blanco con bandas negras, y mi amigo le va oprimiendo con curiosidad las almohadillas de los dedos. Entonces las uñas le asoman como puntas de navaja. Llega a la ventana el rumor del tráfico. Todo el piso se ha empapado de humedad veraniega, de calor aplastante. Ahora hay más circulación en el barrio debido a los camiones que van al Pryca, la voz que se pronuncia a todas horas. Es una palabra que llega al idioma desde fuera, como el color caído del cielo, de Lovecraft. La han diseñado en una oficina, nace del acrónimo de precio y calidad; pero tiene algo irónico que recuerda a tierra y libertad. Nuestro Pryca será la primera, eso irán diciendo, de las grandes superficies comerciales de la zona, que es el Barcelonès Nord, y como todo lo nuevo también dirán que es la más grande de España. Todo San Adrián ha echado una solicitud de empleo, porque todo San Adrián está en el paro. Los comunistas del ayuntamiento, los que pertenecen a la facción prosoviética, van a votar en el pleno en contra de su instalación; pero ni los suyos les hacen caso. Lo que trae el Pryca a San Adrián son más de trescientos puestos de trabajo, así de entrada. La gente dice Pryca, Pryca, Pryca, con el ansia con que diez años atrás pedían libertad, libertad, libertad. La otra oposición que encontrará el hipermercado será la de los pequeños comerciantes del barrio. Creen que sus tiendas desaparecerán, que nunca nadie más les va a comprar nada, que acabarán de rodillas bajo una farola pidiendo limosna con un cartelón a los pies. Se manifestarán delante del ayuntamiento, enfrente del Pryca aún sin inaugurar, aureolados de pancartas y megáfonos de mano como los que ellos mismos les vendían a los socialistas que ahora gobiernan. De la fábrica de vidrio que ocupaba antes el solar donde se ha levantado el Pryca va a quedar una solitaria chimenea de ladrillo en medio de la zona de aparcamientos como una abuela abandonada en una gasolinera. La factoría, la Celo (Compañía Española para la Fabricación Mecánica del Vidrio, Procedimientos Libbey Owens), llevaba en ese lugar desde tiempos de la dictadura de Primo de Rivera hasta que a mediados de los años ochenta la compraron los chinos y la trasladaron a Yi'an, en el norte de su país. Con los comerciantes, con el paro obrero y el juvenil, con las amas de casa, con la gente, expectantes todos ante las puertas de cristal automáticas, el Pryca va a ser más municipal que el propio ayuntamiento.

Arbeit macht frei, dice mi amigo Ignasi echado en el sofá. Tiene puesto el volumen del tocadiscos por encima del ruido del tráfico. Contra el mueble del equipo hay unos discos de Lucio Battisti, que Ignasi canturrea en italiano. El falsete de Battisti, su voz de diamante que va a pulverizar los años de plomo. En los discos de Lucio Battisti está el hombre que ha querido cantar canciones de amor entre las balas. Cuando el radicalismo italiano se vaya a las Brigadas Rojas en busca de una revolución desesperada como una noche de amor desesperada, Lucio Battisti se irá a la discoteca en busca de una mujer. Al compromiso histórico, Lucio Battisti va a imponerle el compromiso erótico, que en él se llama *il mio canto libero.* Lucio Battisti desea sin interrupción mientras los teóricos de su época escriben sin interrupción. Todo el mundo habla en las calles de Italia del individuo político, de la transformación social; pero a Battisti no le interesan ni la sociedad, ni tampoco el individuo, a Lucio Battisti lo que le importa por encima de todo es amar a la mujer. En Battisti no existe lucha de clases, ni tampoco lucha interior. Su lucha es la lucha grecorromana del sexo. Amor, celos, amor de burguesía, canta en un estribillo. Cada segundo de Battisti es puro sentimiento. Cuando el mundo fracase, cuando fracasen los que proclamaron el lema de paz y amor, Lucio Battisti consentirá en renunciar a la paz, pero no va a dar ni un solo paso atrás en su defensa del amor.

Ignasi va siguiendo a Battisti tumbado con las manos en la nuca. Los pies le cuelgan en un extremo del sofá, descalzo como si fuera a tocar un piano invisible con los dedos equivocados, pero lo único que tocan sus pies es el aire de un ventilador ruidoso. Cuando entreabre los ojos busca dibujos entre las sombras del techo. En el piso de sus padres vivirá mi amigo sin otra compañía que la de la gata de la familia. Sus hermanos pequeños se han emancipado, pero Ignasi dice que él por ahí no pasa, que sólo se emancipan los esclavos. De vez en cuando los padres bajan del terreno, inspeccionan el baño, la nevera, saludan a los vecinos y se vuelven a marchar. Lleva muchos años viviendo la gata con ellos. Es una gata común, que no siente ningún interés por los colores, ni por la pintura en general, y por eso va simplemente de blanco y negro. La mancha negra de la cara le cubre un ojo y una oreja, y así tiene también algo de Veronica Lake, de mujer fatal, con su melena misteriosa. Por eso le han puesto de nombre *Verónica*. Descansa aovillada sobre Ignasi, con la cabeza puesta en una novela de Philip K. Dick. La que ahora está leyendo se titula *Los clanes de la luna alfana*. La cubierta tiene un hombre sin rostro, vestido de gabardina y sombrero, debajo de una farola, junto a un ser procedente de algún lugar del sistema alfano. En un cenicero de cristal humea un porro extrafino también sumergido en una siesta de costo guapo. Ignasi va dejando sobre el televisor los vídeos grabados con la serie *Caída y auge de Reginald Perrin*, que hizo la BBC y que ahora dan en TV3. De la pared del fondo, enmarcada en hierro forjado, muy brillante, cuelga la baldosa decorativa que puso su padre y que dice *Aquí viu un català*.

Ignasi habla conmigo en castellano; pero con su familia y con la mayoría de sus amigos lo hace en catalán. Hablamos como respiramos. Los idiomas se mezclan en la calle igual que en los pulmones el oxígeno se mezcla con la sangre. En los primeros años, en mi barrio, en los bloques, el catalán lo utilizará muy poca gente; donde lo habla todo el mundo es en las zonas más antiguas de San Adrián. Aquí el catalán será sobre todo la lengua de los viejos y de los comerciantes. A nosotros irá llegándonos poco a poco, porque va a ser este idioma el que tenga que dirigirse hacia nosotros, y no nosotros los que vayamos hacia él. Al principio se introducirá en nuestro vocabulario un puñado de palabras en catalán, pero no sé si esto tendrá el efecto de abrir camino o acaso de sellarlo como cuando se inocula un puñado de microbios para prevenir una gripe. Los adultos empezarán a decir *chamarreta* y *rachola*, y los niños, *pegadosa* y *baldufa*. Y así se quedarán ambas lenguas, durante años separadas no por ser idiomas distintos sino por la distinción sociológica que hay entre sus hablantes. En Barcelona, ser catalán consiste más en pertenecer a un estatus social que en pertenecer a un país. Para que las lenguas convivan va a ser necesario que las personas estén juntas en todas partes, y esta igualdad solo resultará tras un largo periodo de desarrollo económico.

Les hablaré a mis amigos todo el rato en castellano, pero para compensarles la paciencia y la amistad voy a querer darles lo mejor de mi castellano. Leeré el romancero y el Siglo de Oro, y escucharé a los gitanos, a los viejos, a los quinquis, que hablan con palabras de Quevedo, para poder explicarme con frases afinadas en la música del idioma; para tener el ritmo de los alejandrinos primitivos, de los endecasílabos del soneto, de los octosílabos del romance. Voy a querer entregarles a mis amigos en cada conversación una voz arrancada del tesoro de la lengua popular, pagarles en el intercambio de pareceres con palabras de oro viejo. Quizá porque en casa no había posibles, me conformaré con un solo idioma para todos los días del año como quien tiene que conformarse con un par de zapatos para todos los días del año. Desde niño les tendré envidia a los catalanes que hablan en ese lenguaje entonces oculto y proscrito. Me cautivará el poder lingüístico del que están dotados y que les permite vivir una vida profundamente privada. Hablar como ellos, a ratos lo habré deseado; pero me parecerá luego que eso es hacer trampas. Me dará vergüenza ser catalán como me va a dar vergüenza ponerme corbata. Eso son cosas que no se hacían en mi casa. Yo no voy a ser catalán por respeto a los catalanes. En la intimidad, con los catalanes no hablaré en catalán sino que les escucharé su catalán. Mi padre me sentaba con los viejos del bar y me decía: Anda, acércate a ese, que te enseñe a hablar en catalán. No podré sentirme catalán porque me siento antes el que se acerca que el que está. Querré pertenecer a mi manera a San Adrián del Besós. Antes que sentirme de ningún país, de ninguna patria o nación, voy a pertenecer a la internacional de los bloques. Allí a donde vaya, en cualquier ciudad del mundo, antes que sus museos querré visitar sus extrarradios. Subirme a los autobuses que llevan a las afueras. Comparar con los míos, con los que conozco, sus gestos, sus expresiones, sus miradas, sus hechuras. Sus calles, plazas, descampados. Observar a la gente humilde con la que me da vergüenza cruzarme, junto a la que paso con la vergüenza del que se encuentra con un amigo al que se le debe algo. La gente de barrio es la misma en todos lados de igual modo en que todos los ricos forman parte del mismo capital. No voy a estar tan a mis anchas como en cualquier barrio de cualquier ciudad, en cualquier país. Viendo un videoclip de Obús filmado en el puente de Vallecas, en su estación de tren, en sus churrerías, tendré la impresión de que estoy contemplando imágenes de San Adrián. Voy a verme fascinado por el catalán de mis amigos, el catalán de sus padres, que iré distinguiendo como lenguaje vivo del pueblo. Su habla vulgar del *nusaltrus*, el *buenu* y el *anllavorans*, será de la que más cerca me encuentre, y cuando el idioma vaya a normalizarse y esta manera de hablar se desautorice sentiré que han vuelto a ganar los pijos, que la forma de hablar de toda esta gente, de mis vecinos, de mis amigos, ha sido traicionada. Que les han robado su oro. Más tarde, empezaremos a estudiar catalán en el colegio, y yo pondré todo de mi parte para ser como piden. Hasta voy a comprarme un jersey negro con las cuatro barras. Pero lo que ocurre es que cuando hablo en cualquier idioma que no es el mío me veo en el exilio y creo que lo que digo no es tan preciso ni tan cierto como si lo dijera a mi manera. No utilizaré el catalán porque yo no quiero hablar para comunicarme, eso es lo de menos. Yo hablo para repetir las mismas palabras que le he oído a mi madre. Creeré más en el habla que en los idiomas como creo más en la gente que en los países. El habla es de todos, todo el mundo tiene derecho a hablar un idioma, el materno o cualquier otro, y cada cual lo hace como sabe o como quiere. Me haré filólogo para estar en el tumulto de los hablantes, de las palabras, igual que los que se hacían socialistas para estar en medio de la revolución. Incluso cuando falta la libertad de expresión, sobreviven las palabras. Sobrevive el habla. Iré a las palabras del pueblo y le pediré a cada cual que hable en su idioma para oírles en lo más verdadero que tienen. Mi castellano estará más cerca del *nusaltrus* de los viejos de San Adrián que de los tribunales lingüísticos que otorgan el título de catalán. Va a estar más cerca mi castellano del *estógamo* y del no *sus* vayáis de mi familia, que de mi título de licenciatura en hispánicas. Antes que a ningún país, voy a pertenecer a una paisajística. Antes que de ningún idioma, voy a ser de cómo la gente habla.

Abierta en el suelo, al alcance de la mano, tiene mi amigo Ignasi una bolsa de Doritos, y sin apartar la mirada del techo va dejando caer el brazo para coger a tientas uno de esos chips que se anuncian como comida tex-mex y que no dejan de ser unas cortezas raras. Está su cocina atiborrada de Fritos, Doritos, Ruffles, Diggers, Pringles..., por si le entra el hambre canina de los porros. Con la boca llena, farfullará algo relativo a la única novela que publicó Sterling Hayden y que se titula *Voyage*. A Ignasi lo iré a ver porque quiero contarle que me han aceptado la solicitud en el Pryca. Nos han hecho contratos de seis meses a más de trescientos chavales y chavalas y así nos redimirán del desempleo juvenil. Van a dar trabajo de reponedores en tienda, de cargar los almacenes, de despachar carne, de vender pescado, de hacer pan y magdalenas... Unos, toda la semana, de lunes a sábado, y otros los fines de semana, a tiempo parcial. Algunos por tres meses. Al Pryca los trabajadores de San Adrián lo recibirán como un milagro para sus hijos, y también van a esperarlo con la expectativa de comprar más barato, con la fascinación de encontrarlo todo junto en el mismo sitio, desde una bolsita de alcayatas hasta una lata de carne de búfalo o un televisor. No traerá el Pryca la democracia directa que muchos esperaron en los sindicatos, pero sí que va a traer el consumo directo. En el Pryca se anula la figura intermedia del vendedor, de manera que sólo hay productos y clientes. Será en esa anulación del mediador donde la clase intermedia, los comerciantes del barrio, vean representada su desaparición. El Pryca simbolizará una democracia en la que todo queda reducido a un poder invisible y a una masa de consumidores, y donde las urnas han sido reemplazadas por cajas registradoras, y cada moneda, cada billete, es un voto que elige el producto ganador del día. Lo que hace el Pryca es convertir al comerciante y al obrero en consumidores, es transformar al votante en comprador y acostumbrarle a elegir lo más barato. Los contratos basura con que el Pryca empezará a reclutarnos serán el paso hacia la sociedad basura que irá construyéndose, productora de comida basura, de televisión basura, de cultura basura, de campañas electorales basura. La libertad de elegir será reemplazada por la dictadura del consumo, que consiste en la imposición de lo barato. Va a ser leyendo los *Escritos corsarios* de Pasolini, leyendo *Los empleados* de Kracauer, la manera en que vaya politizándome. Más que adscrito a una corriente o a una ideología, permaneceré fiel a un sentimiento. Seré antes de un puñado de libros que de un partido.

Para apagar las protestas de los tenderos, el alcalde de San Adrián se reunirá con la dirección del Pryca, y conseguirá que el hipermercado se comprometa a reservarles un porcentaje de puestos de trabajo a los hijos de los comerciantes. A esto, el resto de los aspirantes a los empleos lo llamará enchufismo; pero en realidad estaremos todos asistiendo a un antiguo sacrificio. Lo que va a hacer la clase media del barrio es entregar a sus primogénitos. Y el que no tenga un primogénito se sacrificará a sí mismo. A un cincuentón, que aguantaba en su negocio de ultramarinos vendiendo una lata de cuando en cuando, le harán un contrato fijo que le obligará o le permitirá chapar la tienda. Así serán los contratos del Pryca. Aquel hombre tendrá uno de los pocos contratos fijos que la empresa ha hecho de entrada. Pero luego va a resultar que al buscarle un lugar, ninguna sección le aceptará por considerarle demasiado viejo. La gente le llama el abuelo, los jefes de sección se lo han jugado a los chinos, ninguno quiere cargar con un empleado que les dobla la edad. Se atreven sólo con el personal más joven. Contratados casi adolescentes, trabajadores de primer empleo. El Pryca también hará fijo a otro, que ha acabado medicina. A la semana de la inauguración, le pondrán encima de un tirapalets un contrato de jefe de sección para un Pryca de Zaragoza. Los jefes de sección son siempre gente de fuera, sin referencias en la localidad en que trabajan, capaces de despedir a un desconocido y necesitados de lo único que tienen en ese lugar, la empresa. Sector: Bazar; secciones: Menaje, Ferretería... Sector: Alimentación; secciones: Perecederos, Pescadería... Un jefe de sector es mucho más importante que un jefe de sección. El empleado va a cobrar el salario mínimo interprofesional; el jefe de sección, el triple, y el de sector no se dice. Los sectores, las secciones, los almacenes del Pryca los iremos llenando gratis en unos cursillos de prácticas que el centro comercial ha acordado con la oficina de empleo. Tres semanas trabajando a todo trapo y de balde para que esté todo listo el día de la inauguración. Pero esta irregularidad acabará saliendo en los periódicos, y los jefes de sección irán interrogándonos uno por uno a los cursillistas, amenazándonos, recordándonos que aún no hemos firmado el contrato. El director de la oficina de empleo, que nos decía que llevando esas cazadoras negras nadie nos iba a dar trabajo, también se acercará a contarnos que se siente ofendido por esas cartas en los periódicos. Aquí estará haciendo literatura del barroco al relacionar una cosa y un sentimiento. Una carta y una afrenta. El polvo con la muerte, el cristal con estar vivo.

Detrás de los muros del Pryca pasan las vías del tren con una persistencia de residuo radiactivo y luego sigue la playa, que lame las tuberías de la central eléctrica con su lengua áspera de perro callejero. Por esa parte entran las mercancías al almacén y pululamos los cursillistas entre las ratas de los descampados. Con las cazadoras amontonadas en un palet, manos a la obra les llenaremos el centro comercial. En una radio que ha traído un jefe de sección está Madonna cantando todo el rato *La isla bonita*, pero para nosotros Madonna es todo lo contrario de nuestras cazadoras apiladas. A Madonna no voy a empezar a entenderla hasta que Tarantino la glose al principio de *Reservoir Dogs*. A Madonna tendría que haberla escuchado más como flamenca que como Janis Joplin. Madonna es un ángel rubio sin Josef von Sternberg, es la luz crucificada que alumbra los gimnasios de los barrios, fue el soplo de arena que volcó la clepsidra cuando empezamos a envejecer y fue nuestra enemiga en la guerra que perdimos todos los amigos. Entonces no supimos distinguir sus pasos en el barrio, era cuando andábamos ciegos en un vaivén de sombras, todas mezclándose a la luz de las farolas debajo de la autopista, y ahora cada noche busco aquellos pasos nuestros con manos temblorosas.

112

A los tirapalets los llamaremos cabras; a las máquinas elevadoras, toros...; de esa forma iremos conociendo una jerga elemental, que es la del trabajo, la de las frases hechas. La frase hecha es la comida preparada, es la comida basura del lenguaje. Como se la metas a tu novia con el mismo ímpetu que tienes aquí..., le dice un jefe a un cursillista. La gente se monta en equilibrio sobre los dientes de los toros y se sube a lo más alto de los almacenes sin contemplar las medidas de seguridad. Otros escalan como monos por los paquetes. En el Pryca, en las condiciones que está imponiendo el centro comercial, en cómo las acepta el personal, los sindicatos de San Adrián van a descubrir que ya no tienen futuro, que desde ese momento todo en ellos fue naufragio. Cuando hable el ministro de Economía, que entonces es Solchaga, dirá que España es el país donde más rápido se puede uno enriquecer. El chantaje de los jefes de sección irá extendiéndose velozmente como una droga actualísima. Empezarán también su acoso a las cajeras. Los jefes se recrearán en sus amenazas con la chulería de quien lo posee todo. Te voy a joder la vida, te voy a hacer fijo porque sabes que no eres capaz de salir afuera a buscar otro trabajo. Lo mismo que cala el frío en los almacenes calará el miedo entre la gente. Los jefes y los empleados hablan del Pryca como si existiera. El Pryca lo sabe todo. El Pryca quiere. Hay que tener contento al Pryca igual que los indígenas de *King Kong* tenían que tener satisfecho al gorila gigante. El Pryca es un edificio gigante que se alimenta de miedo y cada

113

día les exige más miedo a los que entran en él. El miedo del Pryca se fabrica en la oficina de empleo; pero todo el mundo la llama la oficina del paro. Está en un piso, en unos bloques que hay enfrente del cuartel de la guardia civil. Las colas de los desempleados que van a sellar se alargan escaleras abajo y salen a la calle. Será difícil, por otra parte, que a la gente joven de San Adrián le den trabajo fuera del barrio cuando dicen de dónde vienen. En el Pryca voy a trabajar en la sección de panadería, reponiendo en la tienda los panes, los pasteles, los bollos que hacen los panaderos, y apenas duraré tres meses porque me despedirán por pasarle un cruasán a uno que trabaja en pescadería. La hoja de despido la firmaré encerrado en un cuarto donde acosan a los que pillan robando en las tiendas. Desde el primer día, la clientela se llevará de todo en los bolsillos y bajo la ropa; pondrán los cartones de leche debajo de los carritos, donde no alcanzan a ver las cajeras; la peña de los barrios de Badalona y de San Adrián (Sant Joan Baptista, donde está el Pryca; La Mina, Sant Roc...), les levantará a diario un montón de aparatos de vídeo, taladradoras, abrigos... Van a tenerme hasta las diez de la noche custodiado por el jefe de seguridad y por dos chavales de mi edad armados. El jefe de los vigilantes dice con cara de preocupación que nunca más en mi vida voy a encontrar otro trabajo, y uno de los seguratas se pone a cargar la pistola para darle sentido a las palabras de su jefe. A todos los que va echando el Pryca les cuentan lo mismo en el sindicato: que no hay nada que hacer.

Los sindicatos no se juntan con desconocidos, no quieren tener nada con los trabajadores sin afiliar. Sólo se escuchan a sí mismos. Tienen miedo, como todo el mundo. Miedo de todo. De lo pequeño y de lo grande. Miedo de los trabajadores jóvenes y de la macroempresa que los despide. Volveré a la oficina de empleo al poco, quizá como Steve McQueen volvía siempre a la nevera en *La gran evasión,* y esta vez un funcionario, con pinta de progre que ha acabado reconvirtiendo su barba en perilla y su trenka en una chaqueta con hombreras, me dirá que haga exactamente lo que me dé la gana.

¿Pero tú qué quieres hacer, chaval?

Joder, a mí me molaría escribir en el *Ajoblanco.*

¿Eso qué es? ¿La revista? ¿Todavía la hacen?

Han vuelto a sacarla. Acaba de salir ahora.

Pues buscas la dirección, vas a allí y se lo cuentas a ellos.

¿Así, sin más?

¿Tienes un *book?*

No sé ni lo que es.

Un portafolios con recortes de tus publicaciones. Pero como no lo tienes no lo puedes llevar.

¿Y tú crees que me abrirán la puerta?

Tú llama.

¿Y cuando me la abran qué les digo?

Lo mismo que me has contado a mí. Que quieres escribir para ellos.

11
El miedo

Entonces querré salvarme en el rock and roll de todo aquel miedo y de otro miedo que al mismo tiempo creeré olvidado. Es el miedo a las sombras de la tarde que iban entrando por las ventanas del piso y por los cristales del balcón, que iban restregándose contra los muros del bloque como gatas en celo. Era cuando la noche se adueñaba de mi casa, algo antes de que encendiésemos la lámpara del comedor, y se apoderaba del río y sólo se veía correr la luz de los trenes al fondo de la playa. Las ventanillas iluminadas de los vagones igual que bloques caídos. Pero los trenes enseguida pasaban y tardaba mucho en aparecer el siguiente. La noche nos iba reduciendo lentamente a todos, nos preguntaba todo el rato por qué nos sentíamos solos, nos arrinconaba en la silla leyendo tebeos o haciendo sumas en la mesa o en el sofá viendo la tele. Yo me decía para salvarme que a pesar de la noche todavía era una hora temprana, y que, cuando la hora de la noche de verdad llegase, la oscuridad se encontraría con todo el trabajo hecho. Mientras los trenes arrastraban hacia la lejanía de Barcelona su luz y su ruido, esperaba yo con mi abuela, siempre callada como si se hubiera dejado las palabras en Granada, sentada siempre en la silla verde de anea. Aguardaba deseando yo que volvieran mis padres del taller, de la fábrica, de la sastrería. La noche es esperar. El barrio era esperar. Esperaré leyendo a que todo pase, y así sigo con los libros abiertos de par en par, la casa llena de libros como el reloj de arena está lleno de arena.

En el barrio se necesitará más ser rockero que ser escritor como es más necesario el pan que la poesía. Uno se hace rockero para darle al barrio lo que le pide, para devolverle lo que te ha dado. Aquí no se puede ser escritor con las manos limpias. Decir es traicionar. Los libros están llenos de chivatazos. Miraba hacia la tele todo el rato porque en la oscuridad de fuera ya no había nada que ver. Aún no estaban puestas las farolas en nuestras calles. *Los Supersónicos, Los Picapiedra,* las familias de los dibujos animados. *Bonanza* y *La gran familia.* Continuamente familias en la televisión, propietarios de ranchos, de terrenos, de casas; pero yo iría tirando hacia los que andaban solos, hacia los llaneros solitarios, los pistoleros vagabundos, los fugitivos, los que huían. Desde siempre entendiendo antes al que no tiene tierra ni la quiere. ¡Qué profunda alianza voy a establecer con todo lo que veo en la tele! Nada va a descubrirme tanto a mí mismo, nada va a crearme, a recrearme, tanto como la televisión, hasta que llegue al rock and roll. Y entonces también acudiré a la televisión a buscarlo, en los programas de Diego Manrique, Carlos Tena, Moncho Alpuente, Àngel Casas... Querré salvarme en el rock and roll acaso para no existir, de la misma manera que la música es impalpable y así parece que no exista. Sólo el volumen del tocadiscos será más alto que los bloques. Sólo una canción repetida una y otra vez hasta el éxtasis se impondrá a la repetición de las ventanas, los edificios, los días que llegarán una y otra vez sin que nada vaya a cambiar. Antes sabré cambiar de canción que cambiar de vida. El rock and roll es la moneda que tiramos a la fuente de los deseos, es la moneda que va a perderse hundida en el agua del deseo.

La calavera muda del heavy en las cazadoras. La doncella de hierro que adoraremos será un sarcófago con clavos. Un montón de cadenas, una inquisición de llamas que se han puesto bocabajo nos rodearán esta noche en el campo de fútbol. Concierto de heavy metal en el campo del Adrianense, detrás de las vías. La autopista hacia el infierno, el número de la bestia, el as de picas. Se ha presentado el Quincoces con una gorra con cuernos, que también se pondrá en el Pryca si no están los jefes. En el curro, el Quincoces irá de blanco como todos los de panadería, pero con una gorra de AC/DC, y cuando la gente le mire trabajar por los cristales del obrador hará posturas de guitarrista ciego, de Angus Young lleno de abstracciones, lleno de añoranzas (solo de lo negado canta el hombre). Tocará el Quincoces delante de todo el mundo su guitarra de oro invisible, y la gente le aplaude. Esta noche los colegas gritan y levantan los brazos como si estuviéramos ardiendo en el infierno, como si el infierno fuéramos nosotros en vez de los demás. El camino perpetuo de la barra al pie del escenario lo andaremos cargando con manojos de vasos de plástico llenos de cerveza, dándoles puntapiés a los vasos tirados al suelo de tierra. Se rajan los vasos enseguida, crujen sus huesos rotos y se quiebran frágilmente como en aparatos de tortura. El rock and roll es una ciudad sin sueño. En el eclipse de esta noche vamos a alumbrarnos con las llamas del mechero, que se inclinan lamiendo las chinas igual que perros en los charcos. Las manos puestas como lo hacen los pedigüeños, calentando porros con mano de mendigo. Nos iremos rozando los dedos entre los colegas al pasarnos los canutos, y en la torpeza se notará que están recargados de horas de trabajo. Mis dedos desorganizados, siempre con padrastros, hechos de genética campesina, quieren ya escapar del trabajo para clavarse en la carne de la escritura. Para precipitarse una y otra vez igual que pájaros suicidas contra los farallones de tipografías que emergen del teclado. Los edificios a lo lejos, a oscuras como monstruos lobotomizados, la noche encallada en la playa, las luces silenciosas de las fábricas. Los grupos dando caña todo el rato, arremetiendo contra todos y contra todo. Pero el rock no va contra todo, el rock and roll va dirigido contra la nada. Esta noche todo pertenecerá a la nada excepto el rock and roll, porque eso será lo único que tengamos. Van a subir a tocar Zeus, Sector Sur, Maxibamato..., grupos del barrio y del Prat, de Granollers, y se entregarán con toda la violencia de sus músculos en alquiler manifestando que el heavy no es violento, y por tanto no es civilización, porque la civilización se ha escrito con violencia. El heavy no es violencia, sólo es volumen. El Miguelito, quizá ya sepa que acabará convirtiéndose en un espectro de las cloacas, está ahora montado a horcajadas encima del Quincoces y jalea a los guitarristas, algunos ya treintañeros gordos y calvos, con greñas rizadas en la nuca, que van a hacer una filigrana brutal, una virguería de solo despellejándose las puntas de los dedos. La gente irá cantando por Thin Lizzy, Iron Maiden, Judas Priest, en el inglés de quien nunca ha estado en Inglaterra ni en ningún otro sitio. El heavy no es violencia, sólo es música. La violencia que hay en todo esto es una violencia de clase. Los coches de la policía municipal y las furgonetas de los nacionales están enfrente del campo. El heavy no es violencia, pero acabaremos pegándonos todos entre todos. Irreal como una pintura, como un clásico del tenebrismo, voy a distinguir al Miguelito, frágil, se le ve todavía crecer, enloquecido en una pelea contra el aire, solitario a puñetazo limpio contra los cristales de una caseta, con las manos ahocinadas de sangre. Todos contra todos, todos contra la nada como pasará siempre entonces, en los conciertos, en los bailes de las fiestas, y otra vez empezarán a llegar ambulancias, esta noche hasta siete, para llevarse a los que les han dado mucho y a los que se han metido demasiado. El heavy no es violencia, la violencia es la torrentera de los bloques, el ruido de las vías, los carritos del Pryca, la noche perdida para siempre en una tierra injusta.

12
Un entierro prematuro

Iré a Barcelona en autobús, con el vibrar de los viejos adoquines de la ciudad en mis rodillas, en mi pecho; con la frente pegada a la ventanilla y el oído puesto en las conversaciones; con un libro metido en el bolsillo de la cazadora igual que quien lleva un baldeo por lo que pueda pasar. La redacción de *Ajoblanco* estará en la calle València, muy cerca del paseo de Gràcia, encima de un merendero que se llama El Campechano. Es una finca vieja y señorial, adonde no llega el ruido de la lucha de clases. Hay en ella una tranquilidad ancha de escaleras anchas, una calma de pasillos oscuros como el cerebro de un rico que duerme. La piedra gastada de los peldaños, la madera siempre barnizada de los pasamanos, el hierro con borra de los ascensores. Abajo, un portero que asoma la cabeza y sube las cartas. Barcelona es el cromo de una tableta de chocolate. Me abrirá la puerta Borja Folch, alto, el pelo rizado, con mucho asombro y, al rato, desconfianza. Luego les contará a los del *Ajo* que se acojonó al verme porque se creía que iba a robarles. Barcelona está llena de niños que tienen miedo de que les quiten los cromos. Me invitará a pasar y acabaré sentado frente a Pepe Ribas, el director. Su suéter de lana, de cuello redondo, sin camisa. Tendrá así Pepe Ribas algo de hombre de encierros y soledades que ha salido a dar una vuelta por el campo, algo de terrateniente de comuna ecológica. Le explicaré que desde que tenía once, doce años, me crié leyendo los *Ajoblancos* de mis primos mayores, que luego tendría decorada la habitación con las portadas de la revista, que había hecho un fichero, un índice con todos los artículos, entrevistas, autores, números, citas de los antiguos números..., y él me escuchará ojeroso, con la cabeza inclinada, como si con un oído pretendiera saber lo que dicen en el piso de abajo. Le contaré la ilusión con que he ido a verles, pero en mi rostro lo que podrá leerse es desesperación. Luego Pepe Ribas se levantará tras su mesa grande de trabajo y de nobleza y va a pedirme que le siga hasta la sala de la redacción. Me plantará delante de Jordi Esteva, que está sentado debajo de una foto de Benazir Bhutto arrancada del *Newsweek* (bellísima, con un velo blanco y una sonrisa blanca y los ojos, igual que barcas recién calafateadas, orlados de ese polvo negro, el khôl de las mujeres árabes), y de Fernando Mir, con barba dorada de rey de oros, parapetado tras una montaña de pruebas de la revista. Entonces Pepe Ribas me cogerá por el hombro y les dirá a sus amigos: Vamos a ayudar a este chaval. Fernando Mir va a mirar de reojo a Pepe Ribas con mueca de ironía. Pero enseguida alzará la cabeza muy serio para decirme con voz también dorada que vuelva dentro de una semana y hable con él. Esperaré cada día que suene el teléfono, recibir una llamada del *Ajoblanco* para decirme que se lo han pensado mejor y que ya no hace falta que pase la semana que viene. Pero los presentimientos más claros siempre son falsos. En la redacción voy a sentarme cerca de Fernando Mir y desde mi mesa iré viendo pasar a gente, toda de Barcelona. Muchos son escritores, periodistas que he leído en libros, revistas, y otros, que parecen los más importantes, no voy a tener ni idea de lo que son. ¡Qué pija es la cultura! Pero esto me lo dirá más tarde un bailaor gitano, el Carrete de Málaga: El flamenco no es cultural, Javier, el flamenco es del pueblo. Me tiraré horas como siglos junto a Fernando Mir, encerrado a cal y canto en la redacción, aprendiendo todo lo que me va enseñando y fundando una amistad. Siempre encerrado en la redacción, metido allí dentro porque me da apuro salir a la calle y formar parte de Barcelona, dejar de ser de San Adrián.

Mi mundo es un edificio solitario. Es el viejo edificio rojo del almacén industrial que hay pasado el Pryca, en el polígono de talleres donde están recalando los chinos del Barcelonès Nord. Lo veré aparecer un día en la película *El maquinista,* diría que hasta protagonizarla. De la historia apenas entenderé nada, aunque aún atinaría a explicar que salía Christian Bale fumando mucho y muy flaco. Solo voy a recordar unas cuantas imágenes sueltas, como siempre. Pero al edificio lo tendré todos los días delante. Su pintura desconchada como una enfermedad de la piel y sus ventanas tapiadas. Ha servido de local de ensayo para algún grupo de rock. Subiré por sus tripas en el montacargas yendo a ver las bandas. Los chavales se han montado con las guitarras en los estuches puestos en pie sobre el suelo junto a la pierna igual que en la mili cuando mandaban firmes. También voy a recordar de la película que salen, creo, unas vistas de la avenida que cruza el paseo del Pryca. Lo mismo va a pasarme con *Biutiful,* donde en vez de interesarme por la salud de Bardem iré siguiendo todo el rato el paisaje sin fijarme en otra cosa, sin quitarle ojo a la calle Mozart, a las esquinas del barrio de La Salut y a la parte esta del edificio rojo, que también aparece. En *Petit indi,* de Marc Recha, estaré con los ojos abiertos de par en par mirando el Bon Pastor, el río Besòs, ahora ya no me acuerdo si se ve la Trinitat. Mirando lo que me obsesiona. Lo mismo me había ocurrido con los bloques de Bellvitge donde Marc Recha rodó una película anterior titulada *Pau i el seu germà.* Y contemplando en *Platillos volantes,* de Óscar Áibar (una de la películas que más he sentido como mías o a las que más he querido pertenecer), me quedaré fascinado cuando salgan los bloques de Sant Roc, barrio colindante con este polígono de almacenes y talleres. A esos edificios de Sant Roc (pero casi todos los que viven aquí lo van llamando San Roque y Santa Loque y cosas parecidas); a estos bloques, digo, iré todos los domingos de muy niño, paseando por debajo de la autopista entre hileras de coches aparcados, muebles rotos, pedazos de cartón, a casa de mis tíos, donde vivían mis abuelos paternos. En Sant Roc harán unos bloques sólo para los gitanos, y después de hacinarlos en casas sin balcones les darán un premio a los arquitectos.

Buscando encuadres, temas, con mi amigo el pintor Toni Disco, sin acabar nunca de decidir nada, deambularé por este barrio del viejo edificio rojo, y que también es el lugar, el barrio del Remei, donde se crió el escritor Julià de Jòdar y en el que emplaza su hermosa trilogía novelística de *L'atzar i les ombres*. Toni Disco anda con las manos a la espalda, ha salido con su jersey viejo rociado de los colores que va cogiendo el pincel; de pronto se detiene y señala hacia un grupo de maniquíes extrañamente asomados a una ventana, misteriosamente reunidos como en la canción de Golpes Bajos. Fiesta de los maniquíes, no los toques, por favor. Alza los ojos y penetra con su mirada los callejones de talleres cochambrosos. Forma un marco con los dedos para encuadrar las calles anchas de perspectiva infinita. Junto a las naves industriales, se mantienen todavía algunas casitas de una planta, con un poco de patio y una higuera. Pero el resto son largos muros de ladrillo rojo con su cresta de cristales rotos. Depósitos oxidados que se alzan sobre altas patas de hierro igual que la isba encantada, la cabaña donde vive la bruja Yagá de los cuentos rusos. Ventiladores en los huecos de las paredes, que giran ahogándose, costrosamente atascados de polvo. Por todas partes el ruido de persianas metálicas evocando un oleaje de chapa. A estos parajes, Toni Disco los llama los ángeles de la desolación, igual que la novela de Kerouac, y dice que también revolotea sobre ellos el ángel de Edward

Hopper. El espacio como soledad, eso es lo que une a estos paisajes con las pinturas de Hopper. Pero aquí lo que se ve, en vez de oficinistas solitarios, es a los mecánicos que salen un momento de la penumbra de su taller y de repente les da todo el sol en los ojos, en la cara, igual que al convaleciente que después de mucho tiempo ingresado le dan el alta. En este lugar va todo el mundo vestido de mono color azul trabajo. Pantalones con manchas de grasa, cazadoras agujereadas por las chispas de las soldaduras, bambas rajadas. El ruido de las calles es el de los golpes metálicos, el vendaval industrial, la sirena proletaria que aúlla como los lobos, el mesiánico zumbido de los convenios colectivos. Pero a veces, también se oye a alguien silbar una canción. Huele por todas partes a disolvente, a gasolina, a aceite, a madera quemada. Por las aceras desniveladas, hundidas por el peso de los camiones que se suben a ellas, se suceden los postes de la luz desarbolados como palos de buques fantasmas. Todo son talleres de molduras, de estampación y troquelados, de soluciones en termoplástico, almacenes de neumáticos. Un perro negro que ladra a la puerta de una pequeña fábrica. Los bares que anuncian sus menús económicos. Pero antes todo esto eran campos de remolachas, de trigo, de alfalfa.

En el barrio de al lado, en Sant Roc, los bloques nuevos empiezan a reemplazar a los primeros que hubo, porque se estaban desmoronando por la aluminosis y otras taras de la construcción que separan el hormigón de las vigas como carne que se desprende de los huesos. Esos edificios fueron levantados en los años sesenta y setenta, y todavía quedan en pie muchos de ellos, algunos con las paredes derrumbadas del todo, otros con la portería cegada con ladrillos, y con una visera de uralita para contener los escombros que van cayendo, y otros, sucios y descascarillados, en los que siguen viviendo los vecinos como si nada o como si todo. Hay censados en el barrio alrededor de doce mil habitantes. Todos estos bloques son ruinas vivientes que no simbolizan el fin de una época sino el fin de unas vidas, las de la gente que llegó a Barcelona, se metió en barracas y luego fue a parar a este lugar, a estos almacenes de carne de cañón de cincuenta y cinco metros cuadrados con ventana enrejada, y aquí tuvo que quedarse para siempre apartada de todas las oportunidades. El final de la época a la que pertenece este urbanismo estará representado antes que en sus propias ruinas en el entierro del más importante alcalde de la dictadura, Josep Maria Porcioles. En este alcalde de Barcelona se encuentran condensados todos los otros alcaldes de su área metropolitana, porque este fue quien más se ocupó de que las montañas quedaran apisonadas bajo un montón de cemento (los dueños de las cementeras acabarían luego en Convergència i Unió), de que la gente viviera amontonada en lugares a los que no llegaban los transportes, sin escuelas, ni farmacias, ni mercados. Porcioles y los alcaldes de su tiempo consintieron, favorecieron y se beneficiaron de aquella situación de necesidad y desesperación general, igual que ahora se benefician las mafias a costa de los parias que vienen hacinados en pateras. El símbolo del final de esos tiempos de la especulación urbanística de la dictadura no está en los pisos derrumbados de Sant Roc sino que hay que buscarlo a principios de los años noventa, en el último adiós a los restos mortales del exalcalde Porcioles, celebrado en un colegio mayor del Opus Dei, con representación y honores de las más altas autoridades de las instituciones democráticas. Allí estarán para manifestar su condolencia y salvarle de su propia historia, para decir que acaso cometió algún error político, el presidente de la Generalitat, el alcalde de Barcelona, los concejales socialistas y los concejales convergentes, la guardia urbana vestida de gala acompañando el féretro. Con esta asunción del franquismo por el mundo actual es como se diluirán los viejos tiempos igual que mi abuela diluía en un vasito de agua las gotas que se tomaba para la memoria.

Ahora sobre las fachadas de los bloques de Sant Roc, los chavales escriben sus nombres igual que Porcioles ha dejado estampado el suyo en los anales. Pero aquí lo que tendrán más a mano van a ser rotuladores indelebles, aerosoles, el humo de los mecheros. Aquí la gente joven se llama Jessica, Tamara, Chato, Mireia. Otros han raspado el cemento de una pared para grabar un mensaje de amor, Love Paco. La mayoría de estos chicos abandona los estudios cuando la enseñanza deja de ser obligatoria. Unos hombres han levantado el capó de su Peugeot 205 e inspeccionan el motor con las manos metidas en los bolsillos como quien mira una lucha entre insectos. Hace un poco de frío esta mañana en la que Toni Disco y yo paseamos. Los tipos han dejado sobre el techo del coche una jaula liada en un pañuelo del RCD Espanyol. Sentada en una portería, una mora vieja corta un plátano con una navaja, y cuando se lo come recoge las pieles en un pedazo de papel. En un bar, otra vieja, que lleva un catéter nasal, se toma un trifásico y discute con el dueño porque le ha puesto leche. ¡Sabes tú que yo no puedo tomar leche! ¡El trifásico yo solo lo quiero de café! Y en el armario eléctrico de la plaza Roja de Sant Roc alguien ha escrito: Nací para sufrir pero vivo vacilando.

13
Huelga en las tres chimeneas

Cruzaba con mi madre el río para visitar a mis tíos y a mis primos de La Catalana. Cuando una crecida se llevaba la pasarela nos metíamos en el agua y lo atravesábamos a pie o me llevaba mi tío a hombros. Ahora en La Catalana se celebra cada año un belén viviente y en algunas de las pocas casas que quedan se crían gallinas y conejos. Allí las calles todavía son de tierra y crecen árboles solitarios junto a los viejos caserones. Se reúne los domingos por la mañana, a la sombra de uno de estos árboles, una familia gitana, vestidos los más de luto de pies a cabeza, y ahí conversan y recuerdan los tiempos en que vivían en ese mismo solar, hace más de veinte años, hasta que una riada les echó del sitio. De esta parte de La Catalana era Justo Fernández, el guitarrista gitano que quiso enseñarme a tocar por tangos y por bulerías, que me enseñó los acordes (aunque él les llamaba posturas), que me explicó que había que ponerse pegamento en las uñas para endurecerlas y poder darle bien a las cuerdas, y que me prestaba calderilla para telefonear desde las cabinas cuando no me había traído el Magiclick.

Pegadas a La Catalana están las vías del tren y el barrio de La Mina. En La Mina viven hoy unas trece mil personas. La mayoría es gitana. Lo separa de Barcelona la ronda de Sant Ramon de Penyafort, una calle común, como una perdiz común. Es el río Besòs lo que tradicionalmente ha aislado a La Catalana y a La Mina del resto de San Adrián, pero actualmente estos dos lugares quedan también tabicados por una ronda de seis carriles de ancho que circunvala la ciudad en la parte del litoral.

Se ha ido forjando fuera de La Mina la épica de la delincuencia juvenil de los años ochenta, el Vaquilla, el Torete, el Fitipaldi, aquellos chavales que se hicieron polvo, al final en el talego, porque no quisieron morder, porque no quisieron llenarse la boca hasta el esófago del polvo de sus calles; pero dentro de La Mina lo que de verdad va a encontrarse quien vaya, lo que de verdad estas gentes tienen en sus manos, es una biblioteca moderna, que pertenece a la red de bibliotecas de la diputación, igual que hay otra en Sant Roc (que está especializada en flamencología). Una biblioteca significa para un barrio lo que la selva del Amazonas supone para todo el planeta. La gente va a respirar a través de las hojas de sus libros abiertos como pulmones. Hay también en La Mina una incineradora de basuras que arroja nubes de ceniza, una depuradora que acumula la contaminación del río y una central termoeléctrica que chisporrotea. Todo lo que nadie ha querido en Barcelona y en ninguna otra parte.

Las calles lentas y atroces de La Mina. Hileras de edificios de una sola pieza, mogollón de ventanas prolongándose de una punta a la otra de la manzana. Barcelona se protege de la gente de las afueras con estos rompeolas, con estos edificios de cemento igual que murallas chinas, como muros de Berlín que dan por las dos caras al lado capitalista. Está en La Mina el paseo de José Monge Cruz, *Camarón,* entre las calles Mart y Llevant, con su pequeño busto del cantaor, bronce doliente donde se incardinan la leyenda del tiempo y el tiempo de los gitanos. Por toda Barcelona Camarón ha dejado estampada su huella de animal prehistórico. En los barrios de La Mina, Sant Roc, en los cristales y la chapa de las furgonetas de los vendedores que hacen los mercadillos. Un mural con su retrato está pintado en la fachada del ateneo popular de Nou Barris, que era antes una antigua planta asfáltica, pero los vecinos la echaron del barrio en la época de las movilizaciones. Camarón, que es de la bahía de Cádiz, va a morir en las montañas terrosas del hospital de Can Ruti, en Badalona. También será en Barcelona, en el Molino, donde Enrique Morente dé su última actuación. Barcelona es la novia cadáver del flamenco.

En el paseo que le han dedicado a Camarón en La Mina, la gente ríe y habla a voces de sus cosas. Vuelan por las terrazas las palomas de competición con las alas pintadas. El dueño de un bar riega el cemento de la calle. Moja con la manguera a unos hombres, que también se ríen y se apartan corriendo entre plásticos tirados, cristales rotos, latas de cerveza. Aprieta la boca de la goma para que el agua les alcance. Un señor muy gordo, con un bigote que le llena las mejillas, se toma un quinto sentado en un barril metálico. Más abajo, casi al final de La Mina, se encuentra la calle Manuel Fernández Márquez. Tiene nombre de persona normal y corriente, porque está dedicada a la memoria de una persona normal y corriente muerta, hace más de treinta años, por la policía franquista durante una huelga. Desde la calle Manuel Fernández Márquez, cerca de la central térmica, se observa la flamante, pero también absurda, arquitectura de diseño que se alza por la plaza del Fòrum. Absurda, quiero decir, comparada con todo esto. Aquí, en la calle Manuel Fernández Márquez, lo que hay son los bloques de hormigón, las ventanas de carpintería de aluminio, los tendederos con la ropa barata, una heladería, una academia de peluquería, una papelería, almacenes, talleres... y unos columpios. Junto al tobogán, dos mujeres, que llevan sillas plegables bajo el brazo, le hacen cucamonas a un bebé oriental. Sonríe sentada en un banco una vieja con muletas y bata oscura de lunares.

Pero habrá que pasar el río Besòs, habrá que cruzar a la otra parte de San Adrián, para llegar al lugar donde la policía se cargó a este trabajador de la construcción. Creo recordarle subido a una caja de madera, en una asamblea, así me lo contará el primo de mi padre en su comunismo de siberias (aunque su frío sea más bien el de las cinco de la mañana del extrarradio) y en su comunismo de largas marchas hacia la pérdida final de todo lo alcanzado. Entonces, alguien dijo que vio la mano del policía empuñando la pistola, y el muchacho cayó al suelo con un tiro en la cabeza, sigue explicando mi pariente.

Un hombre con ropa de trabajo, por tomar una metáfora de Luis Rosales, es un latido entre la lluvia. El latir de Manuel Fernández Márquez formará parte de la plantilla de los mil trescientos empleados de Construcciones Pirenaicas, S.A. (Copisa), la principal de las tres empresas que trabajaban en el montaje de la nueva planta eléctrica en San Adrián. Durante los primeros años setenta Barcelona iba a desbordarse por la periferia como un cubo de agua. Llevaba más de una década llegando gente a la ciudad en continuas oleadas, emigrantes que venían, que veníamos, de todas partes de España (pero la verdad es que yo nací aquí, y de esa incertidumbre trata este libro). El constante incremento de población disparará el consumo de energía eléctrica, de modo que la térmica del Besòs tuvo que montar nuevas instalaciones más allá del río, justo en la frontera entre Badalona y San Adrián. La planta quedó, así, a caballo entre un pueblo y el otro (aunque ahora son ciudades, y como en todas partes la ciudadanía ha sustituido al pueblo). Manuel Fernández Márquez trabajaba en la construcción de la tercera de estas tres chimeneas de ciento veinte metros de altura encaramadas a su vez sobre calderas de cien metros de alto. Son las tres chimeneas a las que pertenezco igual que una tribu india puede pertenecer a una montaña sagrada; enseguida se ven estas chimeneas desde cualquier lugar de Barcelona como a primera vista se le ve su clase a quien no tiene otra cosa que el trabajo. En aquellos días Manuel Fernández Márquez vivía en Santa Coloma de Gramenet, había cumplido veintisiete años, estaba casado y tenía un hijo de dos años. Nació en Villafranca de los Barros, en Badajoz, pero sus padres fueron de los primeros en emigrar y se lo habían traído a Barcelona de muy pequeño. En las obras de la nueva planta térmica se trabajaba por salarios bajos, con horarios abusivos y falta de seguridad e higiene, por esta razón, a principios de abril del setenta y tres, la gente fue a la huelga. Desde septiembre del año anterior hasta entonces se habían convocado cerca de doscientas huelgas por toda España. La dictadura era la cara visible de aquellas negativas condiciones laborales (entonces se decía explotación). Estaban identificando los obreros explotación laboral y dictadura, calles de charcos y franquismo. Pero hoy, ¿qué general, qué dictadura hay para encarnar al capitalismo actual, los bajos salarios actuales, los contratos según el capricho de las empresas, al empresario que le exige al obrero accidentado que diga que eso le ha pasado fuera del trabajo? Ahora nada es tangible, escribo esto en una pantalla de luz que al final apago, nada se tiene en la mano.

Lo que van a pedir en la huelga de la térmica será una mejora general de las condiciones: cuarenta horas semanales con el mismo salario que cobraban por estar haciendo cincuenta y seis; aumento de cuatro mil pesetas mensuales igual para todas las categorías; treinta días de vacaciones; anulación de los contratos en blanco (todo el personal fijo a partir de los quince días de prueba); tres pagas extraordinarias al año a partir de treinta días de salario real; el Impuesto sobre el Rendimiento del Trabajo Personal a cargo de la empresa; ayuda escolar de quinientas pesetas por cada hijo de entre cuatro y dieciséis años; derecho de reunión y de asamblea en la empresa; cobro del ciento por ciento en caso de enfermedad, accidente, jubilación e invalidez; botas de seguridad, cascos, ropa de trabajo, vestuarios y duchas en buenas condiciones.

Está documentada toda esta historia, con reproducción de textos, octavillas, citaciones, sentencias judiciales, fotografías, noticias de la época, en un informe que editó Comisiones Obreras con motivo del treinta aniversario del asesinato de Manuel Fernández Márquez.

El lunes día dos de abril los trabajadores que construían la térmica fueron a la huelga, se constituyeron en asamblea permanente y organizaron los piquetes. Después de la primera jornada de lucha, volvieron todos a sus casas para pasar la noche, ver la televisión. En la primera cadena iban a dar el *Un, dos, tres...*, que empezaba a las diez menos cuarto, y en la UHF ponían a las diez un *Rito y geografía del cante* dedicado a Diego Clavel, cantaor que aún se presentaba como un albañil de la Puebla de Cazalla. A la mañana siguiente, la policía nacional había ocupado la obra y cuando los que trabajaban en el primer turno, el de las siete de la mañana, quisieron entrar para continuar la asamblea se encontraron con las puertas cerradas. Se celebró la asamblea enfrente, en la playa, con las olas del mar escupiendo todo el rato una espuma marrón de vertidos químicos, de uñas sucias, de manos llenas de polvo de ladrillos, y se votó ocupar los puestos de trabajo. Acordaron entrar en la obra; pero entonces la empresa les dijo que no podían pasar en grupo como tenían por costumbre, que sólo podían pasar de tres en tres. Los trabajadores se negaron. La empresa propuso que entrasen de cinco en cinco. Tampoco aceptaron esto los obreros y se dirigieron todos juntos hacia las puertas. La policía les interceptó el paso y les ordenó dispersar la manifestación. Los trabajadores no obedecieron. Así empezaron las cargas y las carreras por la calle que va paralela a ambos lados de las vías del tren, que es la avenida de Eduard Maristany (un importante ingeniero de ferrocarriles al que Alfonso XIII concedió el título de marqués de la Argentera en memoria de un túnel que construyó en Tarragona). El acoso de la policía obligó a retroceder a los obreros, los fueron alejando de la obra hasta que les hicieron cruzar las vías, y detrás de ellas quedó la mayor parte. Desde su lado, los trabajadores les tiraban balasto, pedruscos de las vías, a los antidisturbios. Algunos habían sido pastores en el pueblo y se daban más maña. Luego pasó un tren despacio, que acababa de salir del apeadero de San Adrián, y el tumulto lo detuvo, aunque otros dicen que fue la policía quien lo mandó parar. Gran parte de los huelguistas quedó detrás del tren, pero un centenar estaba atrapado entre el tren y la policía. Sus compañeros del otro lado de los raíles se pusieron a apedrear el convoy para que se apartase, y al final se marchó. A continuación la policía respondió con otra carga y los obreros arreciaron la granizada de piedras. La represión se convertía en batalla. Entonces se oyeron unos tiros y la manifestación se disolvió en el acto. Pero quedaron dos trabajadores tirados en el suelo. Uno estaba herido, se llamaba Serafín Villegas Gómez, tenía veinticinco años y un disparo le había rozado el cuello. El otro era Manuel Fernández Márquez. Yacía sobre un charco de sangre muerto por una bala que le había atravesado la cabeza. Eran las ocho de la mañana. Todo había ocurrido en una hora. En su huida, muchos trabajadores cruzaron el Besòs por el puente de hierro del tren, corriendo en dirección a los descampados, las viejas casas y las barracas de La Catalana. Otros llegaron aún más lejos, hasta los bloques de La Mina, que entonces estaban en construcción, e intentaron detener las obras, bajar a los compañeros de los andamios para informarles y extender allí la lucha. Al mismo tiempo la policía iba tomando San Adrián, y en su persecución de los huelguistas también pasó al otro lado del río y llegó hasta La Verneda. Llamaban a las puertas preguntando si había obreros escondidos. Los comercios cerraban, unos por miedo y otros en señal de protesta. Un grupo de trabajadores tenía un coche con una radio que captaba la emisora de la policía y así ayudaban a escapar a sus compañeros. Desde algunas casas les arrojaron a los zetas platos, orinales llenos, macetas, mientras patrullaban sitiando el barrio. Hubo otro puñado de amigos que se dirigió a la vivienda de Manuel Fernández Márquez para avisar a su mujer de la desgracia; pero ella estaba trabajando. Cuando volvió a las tres de la tarde se encontró con su piso lleno de hombres cariacontecidos que no eran capaces de hablarle. Luego llegó el entierro y las autoridades ni siquiera permitieron que se le despidiera como a un hombre normal y corriente que había tenido mala suerte. El funeral, anunciado a las nueve y media de la mañana, en el cementerio de Pomar, en Badalona, fue adelantado sin previo aviso para que los compañeros del trabajo no pudiesen acudir. La policía sólo dejó entrar en el cementerio a la familia y a los amigos más íntimos. ¿Cómo era un hombre normal y corriente, qué aspecto tenía Manuel Fernández Márquez? No hay más que ver la imagen que se reproduce en la prensa clandestina de aquellos días. Un chaval elegante, con traje y corbata negra con un alfiler, una camisa blanca y flor blanca en el ojal. Una foto de cuando la gente normal y corriente prefería ir con traje a ir con chándal.

Al día siguiente se organizó una manifestación relámpago, que era como se hacían muchas de las de entonces. En el libro colectivo *La Barcelona rebelde*, de la editorial Octaedro, aparece explicada detalladamente por José Gil, testigo de todo lo que ocurrió. La comisión obrera del Besòs redactó una octavilla, se acordaron las consignas a gritar y los lemas de las pancartas y de las pintadas. El recorrido de la manifestación era de cuatrocientos metros, duraría no más de doce minutos, que era el tiempo que podía tardar la policía en llegar al barrio. Prepararon pisos francos con médicos y botiquines para esconder a los posibles heridos. Prepararon coches para sacar a la gente de la manifestación en caso de tener que salir corriendo. Prepararon una radio para captar la emisora de la policía. Cortaron con cadenas los dos extremos de la calle Alfons el Magnànim y también prepararon una barricada de fuego para impedir la entrada de los coches de la policía. A la hora acordada una chavala tocó un silbato en medio de Alfons el Magnànim, de repente la calle se llenó con más de mil personas que andaban en bloque, cubiertas por los piquetes de defensa que habían formado los más jóvenes con sus barras de hierro. Cuando llegaron al punto final del recorrido, sonó de nuevo el silbato y todo el mundo desapareció. Para cuando se presentó la policía estaba el suelo lleno de octavillas y pancartas, las paredes de los edificios llenas de pintadas. En los días siguientes corrieron como la pólvora manifestaciones de solidaridad por Badalona, por la plaza del Rellotge de Santa Coloma, Cerdanyola, Sabadell, Terrassa, por la universidad... También protestó con un comunicado el arzobispo de Barcelona, Narcís Jubany, que apenas hacía un mes había sido nombrado o creado cardenal. En San Adrián, el viernes día seis, los compañeros de Manuel Fernández Márquez se lanzaron a otra jornada de lucha. Convencieron a los vecinos para que pusieran señales de duelo en los balcones, en las ventanas, las tiendas volvieron a cerrar, y se manifestaron por la calle cerca de mil personas con pancartas. El domingo iban a concentrarse delante de su nicho otras dos mil personas. Había a las puertas del cementerio sesenta agentes a caballo, dos autocares policiales y siete jeeps. Pero dejaron pasar a los asistentes. Apoyadas al pie del bloque donde viven los muertos, fueron dejando sus amigos coronas de flores con lazos de despedida. En una fotografía de aquel homenaje se ve un grupo de mujeres y hombres cansados. Gente triste y luchadora. Americanas de cuadros, chaquetas de lana, cazadoras de cuero. Hombres con jersey, bigote, perilla, que llevan en la mano una cartera de cremallera. Los más desesperados miran fijamente hacia el cristal del nicho. El resto ha agachado la cabeza y tiene la vista clavada en el suelo. La clase obrera nunca fue al paraíso.

En otro abril secreto (la libertad se vive en secreto), el del setenta y nueve, el ayuntamiento de San Adrián le quitará a las calles los nombres que les había dado la dictadura. El Caudillo, José Antonio, Mola, Calvo Sotelo, Onésimo Redondo, Martínez Anido..., serán todos confinados a un listín telefónico al que nunca más va a llamar nadie. Aquel mismo abril se celebraron las primeras elecciones municipales de la democracia y fueron constituidos los nuevos ayuntamientos. De los veintiún concejales del ayuntamiento de San Adrián, ocho pertenecerán a los comunistas y nueve a los socialistas. Aquellos concejales eran albañiles, transportistas, oficinistas, tenderos. Mi padre, Salustiano Pérez, metalúrgico, iba en esas listas, y también salió elegido. El alcalde será Josep Antoni Vilanova, un socialista, maestro de escuela que aprovechaba las clases de francés para enseñarles a los niños *La Marsellesa*. En las listas de los comunistas iba un hombre de Jaén, Juan José Castro, un pintor de brocha gorda, calvo, con perilla y una gorra azul marino, todo él a la manera de Lenin. Más tarde participará en la escisión prosoviética. El comunismo del manobra no quiere cambiar el mundo sino la realidad; su dialéctica no crea un universo, se conforma con transformar el que hay.

Castro y varios de los nuevos concejales habían participado en las huelgas de la térmica y en recuerdo de esas luchas y de sus víctimas le dieron el nombre de Manuel Fernández Márquez a una calle de La Mina que hasta entonces se llamó avenida del Capitán General de la Armada Carrero Blanco. Ambos, el general y el obrero, morirían asesinados en el setenta y tres, en el mismo año, acaso en la misma guerra. También una escuela de adultos llevará el nombre de Manuel Fernández Márquez. Los hombres desaparecen amontonados unos encima de otros y aparecen convertidos en calles, y luego las calles desaparecen también unas encima de otras, y se convierten en substrato o en arqueología. Hoy, las tres chimeneas de la térmica se han cerrado porque su trabajo ya no es necesario. Pero continúan siendo algo extraño que se ve desde lo lejos. Ahora el ayuntamiento de San Adrián no sabe bien qué hacer con ellas, si derribarlas o convertirlas en hoteles o en museos. Convocó un referéndum para preguntar a los vecinos qué les parecía mejor, y no fue nadie a votar.

14

Los trasbarrios

Aprenderé a leer fijándome en los rótulos de las calles. Calle Bogatell, calle Olímpica, calle San Pedro..., son las primeras letras que voy a entender (en Barcelona es más democrática la calle que la ciudad). Los nombres de las calles atornillados a los edificios como llamadas perdidas, flotando igual que algas en el océano de las ciudades. Irán desprendiéndose las calles de su historia, de la Historia, como la vida se descarna de los muertos vivientes. Los ayuntamientos les pusieron los mejores nombres a las peores calles acaso con la misma épica que la República había enviado sus mejores maestros a los pueblos más necesitados. La calle de Federico García Lorca, de Barcelona, va a aparecer entre las terreras del polígono de Canyelles, en lo alto de Nou Barris, junto a las calles de Miguel Hernández y Antonio Machado. La calle de Federico García Lorca, en San Adrián, caerá por el barrio del Besòs y por los bloques de Cobasa. La calle de Federico García Lorca, en Badalona, irá a parar por las infraviviendas de Calderón de la Barca. La calle de Federico García Lorca, en Cornellà, será un pasaje de la Ciudad Satélite (pero el barrio se llama de verdad Sant

Ildefons), donde estarán los bloques verdes de la Banda Trapera del Río. La calle de Federico García Lorca en La Llagosta, en el Vallès Oriental, la pondrán junto a las vías del tren, y al pasar por ahí el tren estará continuamente volviendo a Fuente Vaqueros o al barranco de Viznar, depende del sentido que tome la flecha del tiempo. El Vallès Oriental, pero también el Occidental, es el solar duro y seco que hay pegado a las espaldas de Barcelona, es el barro de las afueras que se adhiere a los pies de la ciudad. Aquí, en las comarcas del Vallès, los bloques están todavía más aislados que en el extrarradio de Barcelona. Segregados, condenados a su sola verdad como padres del desierto. Ya nada es agrícola en ninguna parte. Por aquí todo son polígonos industriales y descampados achicharrados.

Iré a La Llagosta en un tren de cercanías (soy un ser de cercanías). Iré empujado por una fuerza histórica extinguida. Iré, digo, en busca del nombre de sus calles. Tiene La Llagosta cerca de catorce mil habitantes, que viven en edificios bajos, ni siquiera han sido dotados de la fascinación del vértigo. Bloques con bares que dan al interior de las escaleras y con escalinatas de cemento para acceder a las porterías. Buscaré en el nombre de las calles una explicación o una justificación de todo lo que ha pasado. Sin embargo el mundo es como es y las palabras no le importan. Las palabras crean realidad pero esta no les pertenece igual que el obrero crea riqueza sin formar parte de ella. El lenguaje es la clase obrera de la realidad, es la mano de obra que la construye. A cada palabra que se dice o que se escribe, la realidad le debe una cuota de plusvalía. La Llagosta, lejana en su desierto obrero, con su topónimo de alimento de eremita y su pozo sin fondo de los años ochenta. Unida a San Adrián por la carretera de la Roca que cruza Santa Coloma, que sigue la orilla del río Besòs y que va junto a las fábricas de cerveza y de cemento y que pasa junto a las casas de putas que tienen el neón encendido al lado de los semáforos. Unida a todas las periferias por la luz que los pisos encienden a última hora de la tarde. Unida a todos los extrarradios por los coches que los atraviesan, por los jerséis de pico comprados en los mercadillos, por los zapatos de los domingos bien lustrosos para pisar el freno, el embrague, para ir de un extrarradio al otro, de visita familiar. Nada existe más parecido al fracaso que un domingo por la tarde.

En casa de mis tíos de La Llagosta nos dejará mi padre a toda la familia en la noche del golpe de Estado, de la intentona, y él se volverá al ayuntamiento de San Adrián. Todos los concejales socialistas y comunistas atrincherados en la alcaldía con unos cuantos policías municipales contemplando desde la ventana los coches de Fuerza Nueva que han empezado a patrullar por las calles. Volveré ahora a La Llagosta para ver cómo se llamaban o se siguen llamando esas calles que surgieron de la nada. Qué nombres les puso el ayuntamiento en su intento de nombrar, de crear la realidad. El mayor parque de La Llagosta es el parque Popular, bautizado como una república socialista del Este, y su avenida principal tiene el nombre de Primero de Mayo. Hay también aquí una plaza dedicada a los Derechos Humanos, y una calle consagrada a Miguel Hernández, donde todavía jadea, como un carnívoro cuchillo, un transformador eléctrico sujeto a una torre de la luz. Lo que veo en la nomenclatura de estas calles es que fosilizamos en las palabras. En este callejero de La Llagosta está fosilizado el ADN de una generación envejecida, que ya anda más por la puerta del ambulatorio que por la puerta del sindicato. El trabajador industrial que construyó y que pobló estos barrios, el paria de fábrica y pegatina que quiso proletarizar la política. Y que le puso nombre a todas las calles como el hombre puso nombre a todos los animales al principio de la creación.

Todos los barrios tienen un trasbarrio al que ni ellos miran, un barrio que sigue como una pregunta sigue a otra pregunta. Los barrios, sin ser líricos, están hechos mayormente de piedra y cielo, igual que el libro de Juan Ramón. Y cuando se acaban los bloques viene un poco de descampado y de golpe aparece el coletazo de unos pocos bloques más pequeños. A estos trasbarrios es adonde van a parar quienes no pertenecen a nada sino a sí mismos. Gente que se sujeta al mundo por un único asidero. Hay quien sólo tiene una cosa en la vida de la misma forma que únicamente se tiene una sola vida. Hay a quien no le pertenece nada, pero sí que pertenece a una raza o a una clase y por eso se agarra a ella.

Pisaré nuevamente los trasbarrios, me meteré entre las cuatro, cinco calles de bloques que siempre quedan un poco retiradas del grueso de los edificios, llegaré buscando sin interrupción la verdad más oculta; aunque ya digo, aquí lo único que hay son preguntas. No es el mismo el paseo entre los bloques altos, con comercios y bares alternándose con las porterías, que andar por los otros edificios más pequeños y más rotos que se han quedado afuera. No son los mismos, por ejemplo, los bloques de la parte de arriba de La Mina, hacia la carretera, a algunos de los cuales la gente iba a comprar género averiado, que los de más abajo, más cerca de la playa, donde otros iban a pillar un poco. Están más depauperados estos últimos.

En el Vallès Occidental está Ciutat Badia, que ahora se llama Badia del Vallès. Ciutat Badia era un grupo de bloques de quince y dieciséis plantas de altura, un trasbarrio construido a principios de los años setenta en las periferias de Cerdanyola y de Barberà del Vallès donde se aglomeran en menos de un kilómetro cuadrado más de trece mil personas. Al principio, los pisos estaban destinados en su mayor parte a empleados de empresas públicas. Pero luego no todos los que consiguieron uno quisieron irse a vivir allí, así que cumplido el plazo de un año las viviendas fueron reclamadas y ocupadas por otras familias trabajadoras. El aire del Vallès es neblinoso, húmedo, lluvioso. De madrugada los caminos que llevan a las fábricas amanecen escarchados y los charcos se hielan como espejos rotos. Hay aquí un paisaje de campos sin animales y de fábricas solitarias, de maleza y vías, de arroyos sucios, secos la mayor parte del año, con pasarelas de hormigón y barandillas de hierro corroído. Pasados los bloques de Ciutat Badia voy a bajar a una hondonada y entonces me encontraré con unos trasbloques que se repiten enfrente de ellos igual que la réplica debilitada de un terremoto. Entre un edificio y otro de Ciutat Badia, se ve la ropa tendida como si no fuera de nadie, colgada a diez pisos de altura, sujeta a los cordeles que unen las fachadas en una solidaridad de trapos sucios, o mejor dicho, lavados. Las persianas de los bloques son placas correderas de metal. Por los muros exteriores discurren las chimeneas de extracción de humos. A mediados de los años noventa, la población de Ciutat Badia va a segregarse de las periferias de Cerdanyola y de Barberà, y será reconocida por la administración como un municipio independiente. Tomará entonces el nombre de Badia del Vallès, y así se constituirá un día catorce de abril, que es el día de la República y que mucha gente aún espera con la misma ilusión que un niño espera un día de Reyes. Hoy, los viejos bloques de Ciutat Badia, con sus ventanas de chapa oxidada, sus chimeneas exteriores llenas de abolladuras, la pintura de las fachadas levantada, están rodeados de jardines y zonas verdes.

Voy a ir por todas partes en busca de los bloques, transfigurándome, transformándome en ese paisaje de hormigón y descampados, desbordándome como un río hondo que atraviesa las periferias. A los barrios se va en tren de cercanías llenos de gente, en metro como una lombriz de secano, en autobuses que cruzan a toda castaña las rondas. Los transportes públicos, las bibliotecas públicas, por ahí podré escaparme yo de todo esto. Andaré buscando entre los bloques, al pie de los edificios de todas las afueras, unas raíces, las mías, que no agarrarán en ninguna clase de suelo. De chaval voy a sentirme ciudadano del mundo desde el pasillo ancho y luminoso de mi escalera de vecinos; pero ahora lejos de mis bloques, sin haber sido capaz de pertenecer a ellos, me siento profundamente apátrida.

Iré también a otros trasbarrios, al polígono Gornal, que son los edificios que hay pasadas las vías del tren enfrente del barrio de Bellvitge, en L'Hospitalet de Llobregat. Bellvitge es una selva de bloques gigantes donde viven más de veintiséis mil personas. Las farolas que alumbran los charcos en las noches de lluvia y el ladrido de un perro que se oye lejano por un interfono abierto. A la Gornal llegaré pasando un puente elevado, de hormigón y hierro. No tienen nunca los trasbarrios el trajín, los pequeños y variados comercios, que hay en los edificios de los barrios. Todo aquí es más salvaje. Bloques achaparrados dejados a saco en el descampado como si a las constructoras les hubiera sobrado una partida de cemento después de sus desmanes, y donde los vecinos han tenido que convertir el barro en césped y los bajos de sus edificios en asociaciones culturales. Pero, en realidad, la Gornal no es el resto de un festín sino la especulación rebañando la cazuela. Estos bloques se levantaron en la primera mitad de los años setenta (en la misma época que Ciutat Badia, La Mina o Ciutat Meridiana), y fueron construidos sobre terreno cultivable a fuerza de expropiaciones. Muy cerca, donde ahora se encuentra el centro comercial Gran Via 2, estaban las trescientas barracas de la Bomba. Allí vivían más de dos mil personas, la mayor parte llegada de Andalucía y de Extremadura. Los vecinos de la Bomba reclamaron y ocuparon los pisos de la Gornal y se enfrentaron también a los otros vecinos del barrio, que no los querían; pero al final se quedaron. Qué aluvión de carne defendiendo ahora su barrio, que han comprado; escribiendo la historia a zarpazos. Qué mogollón de gente queriendo llegar a la orilla de la vida a fuerza de hipotecas y alquileres. En el polígono Gornal viven más de siete mil personas. Va a salir de la Gornal uno de los más grandes guitarristas del nuevo flamenco barcelonés. El Puchero, músico zurdo, que con treinta y dos años ya lo ha asimilado todo, o lo lleva todo dentro, mucha música negra americana de los años setenta, de cuando se hicieron los bloques. Al Puchero es una locura verlo cuando acompaña al cantaor Salaíto, que también es de L'Hospitalet y una de las voces más emocionantes que ahora tiene el flamenco en todas partes. Cuando acompaña al Salao, el Puchero le mira, se ríe, se calla, deja de tocar, se revuelve el pelo asustado por lo que acaba de oírle, tira de él para llevarlo a un abismo y parece que nunca lo va a recoger. Lo canallea, y al cantaor no le importa o no lo siente, porque fuera de su voz no existe el mundo. Salaíto le pone al personal la piel de gallina cada vez que se arranca por algún cante de las minas.

Con mi bolsico en la mano vengo de mi trabajico, y yo a nadie le pregunto si vengo tarde o temprano. Salaíto hace que todos los cantes sean hondos y tremendos como lo es la condición humana.

Iremos una vez los chavales de San Adrián a Bellvitge combinando autobuses, que era lo más parecido a atravesar la selva de liana en liana. Habíamos quedado con unas chicas de ese barrio a las que conocimos por correo a través de un programa que se llamaba Vota Tu Disco; entonces la palabra voto sacralizaba la vida cotidiana. Se emitía desde radio España de Barcelona (la emisora de las Ramblas), y a través de él se carteaba la gente y se regalaban tiques de descuento para comer en una hamburguesería. Los discos que votaba la audiencia no nos gustaban a ninguno de nosotros (canciones melódicas de letra cursi); pero tampoco teníamos edad para votar otra cosa, y sobre todo se conocía a peña de otras partes de Barcelona. Aquellas chavalas y nosotros estábamos en octavo de básica, y nosotros llevábamos tabaco para invitarlas a fumar porque no podíamos invitarlas a nada más. Habíamos quedado cuatro para cuatro. Se fue haciendo de noche en una plaza, más bien era un solar que se aprovechaba como plaza, y entonces se presentaron unos chavales de aquel barrio, y en menos de dos palabras estábamos liados a empujones y a puñetazos. Cuando acabamos de pegarnos salimos más o menos todos los chavales con algún moretón, un ojo hinchado, un labio partido, y durante la vuelta al barrio, con el placer, pero también era orgullo, de llevar mezclados en la boca unos besos con la sangre de mi labio roto, comprendí cómo funcionaba la simetría de la ciudad. Vi que lo que había ocurrido en el otro lado de Barcelona era exactamente lo que pasaba también en el nuestro, con las mismas chicas, los mismos bloques y nosotros mismos. Vi también que acaso Barcelona no existía para nosotros, que era un espejo en el que uno no podía reflejarse, el marco de un espejo vacío por el que nuestro doble nos hacía un gesto de desprecio.

Iré siempre buscando paisajes como deflagraciones, con los ojos llenos de llamas, queriendo ser obstinadamente yo mismo en unas calles que quedan fuera de la historia y hasta fuera de mí. Llegaré también a Sant Cosme, un barrio del Prat del Llobregat, en la comarca del Baix Llobregat (la misma a la que pertenece Cornellà). Donde terminan los edificios de Sant Cosme se extiende un descampado como si ya no valiera la pena seguir habitando el mundo, y al fondo se alza una torre de control del aeropuerto del Prat. Con lo que cobra uno solo de los que trabajan en esa torre viviría un montón de vecinos del barrio. Toda la zona es una alternancia de polígonos y bloques. Las calles entre los edificios son anchas, pero no tienen árboles. Están limpias, cuidadas con esmero municipal. Y sin embargo, andando por los patios interiores de los bloques tendré todo el rato la impresión de que se respira un aire de mundo derrotado, como si alguien (no sólo el tiempo) les hubiera dado una paliza. Tantos años de luchas y de huelgas, para acabar viendo

Intereconomía; pero la paliza no es esto, el apaleamiento fue antes. Lo de ahora es sobrevivir. Las palizas las dan en el momento en que parece que todo va a ir bien, en el preciso instante en que la gente empieza a sacar la cabeza del agua. Es entonces cuando caen a plomo las colas del paro, la droga de los descampados, el vivir en un sitio adonde nadie quiere ir y de donde no hay manera de salir. Paseando ahora por estas calles, lo que veré es que se han recuperado como han podido, o más bien es que ha habido supervivientes; pero lo que sobre todo voy a percibir es que estoy en un sitio donde se ha sufrido mucho.

Las viviendas de Sant Cosme las construyeron a mediados de los años sesenta para alojar a trabajadores que vivían en barracas. Inicialmente, por la poca calidad de su construcción y por encontrarse en un sitio tan retirado, al lado del aeropuerto, los pisos de Sant Cosme fueron ofrecidos como albergues provisionales, pero su carácter temporal se haría perpetuo igual que las nieves del Kilimanjaro, y ahí siguen los bloques, y probablemente antes se quedará sin sus glaciares el blanco techo de África. En los sótanos de estos edificios se sedimentaban las descargas de las cloacas, empezó pronto la humedad a trepar por las paredes y al poco de inaugurados ya les habían salido grietas. Hubo un año en que la Obra Sindical del Hogar quintuplicó de golpe el importe de los alquileres. Los vecinos se negaron a pagar la subida y salieron a la calle. A mediados de los años setenta, en la misma época en que se derrumbaban los techos de las escuelas del barrio, un grupo de vecinos retuvo al gobernador civil, Salvador Sánchez-Terán, durante una visita que hizo para atender las reivindicaciones y no le soltaron hasta que se comprometió a firmar una reclamación de remodelación del barrio. De muy pequeño la democracia fue para mí eso. La gente de los bloques defendiéndose. O quizá atacando. Los viajes en el ciento veintisiete de mi padre por las fábricas del Vallès para asistir a las charlas que daban los sindicalistas los sábados, los domingos. Hileras de obreros sentados en sillas plegables escuchando a otro como ellos que les animaba a seguir al pie del cañón y les explicaba de qué modo hacía él las cosas. A la democracia yo la he visto de niño salir de los barrios y de los polígonos. Yendo al lado de aquellas gentes, la veré aparecer de entre todos esos lugares y la veré marchar hacia las urnas con pancartas, banderas y megáfonos. Con los obreros de interventores en los colegios electorales y las cestas de bocadillos que se repartían. Y ya digo que es por eso por lo que escribo este libro.

El trasbarrio de Sant Cosme, el gueto de este gueto, lo forma aquí un puñado de bloques todavía apartados. Se trata de esos lugares donde lo primero que se ve es un desbarajuste de ropa percudida, que una vez fue blanca y ahora está atravesada de un color crudo; prendas baratas, desgastadas. Los suéteres con las mangas revueltas, sábanas más colgando que tendidas. O las cuerdas de los tendederos vacías y combadas como curvas en una estadística de la pobreza. Este sitio es una especie de *apartheid* para gitanos. Pero igual que este aún hay muchos otros lugares por todos los municipios que rodean Barcelona. A esta parte de Sant Cosme se la conoce con el nombre de las ochocientas una viviendas. El fotógrafo Sergi Reboredo la ha retratado mirándola a los ojos como si se buscara en un espejo. También fue construida en los años setenta, y parece que al principio estaba pensada para dar vivienda a los empleados de Iberia, pero su historia es otra vez la de los pisos a los que nadie quiere ir a vivir si puede evitarlo, de manera que al final los ocuparon por la cara los más desesperados. En lo referente a no querer ir a este lugar, hubo un momento en que incluso los conductores de los autobuses se negaron a acercarse a sus calles.

En muchos de estos barrios se han celebrado cacerías populares de ratas con premio para el que pille la más gorda. Los chavales las pescaban en San Adrián metiendo por los sumideros un sedal con un trozo de tocino en el anzuelo. Una vez le mordió una al chico al que se le había ocurrido este juego y se lo tuvieron que llevar corriendo a la Cruz Roja.

Una tarde, en el ecuador ya de los años ochenta, los vecinos van a concentrarse en San Adrián sin que ningún partido quiera convocarles y se pondrán a gritar, a abuchear, a silbar con la vista levantada hacia el balcón del ayuntamiento (ahora mandan solos los socialistas porque los comunistas se han dividido por la exacta mitad con la escisión del Quinto Congreso). La gente reclama la línea de autobús que les han quitado con el pretexto de que pronto San Adrián va a tener metro. Pero mientras tanto, de ser un sitio al que tampoco nadie ha querido ir, San Adrián habrá pasado a convertirse en un lugar del que no se puede salir. Mujeres, hombres que dicen que sin bus ni metro no pueden ir al trabajo, o no pueden ir a estudiar los pocos que estudian fuera y los poquísimos del barrio que han entrado en la universidad.

Ese metro, que todavía no ha llegado al barrio, es el que va a recorrer las afueras de Barcelona (el antiguo cinturón rojo), y el que ahora se ha transformado en un transporte oculto de la pobreza. Hoy los metros que se adentran en la periferia únicamente los cogen quienes no pueden viajar de otra manera. Los días de trabajo (de madrugada o por la tarde a la vuelta), sólo se ve en el metro el remolino de gente cansada que ha venido de otros países. Los trabajadores más establecidos, el resto de los ciudadanos, circulan al aire libre y atascan las rondas, los cinturones de asfalto que rodean la ciudad, con sus coches más o menos nuevos, con sus monovolúmenes de antes de la recesión, la crisis. En los días de fiesta, a la hora de comer, los vagones del metro van atiborrados de orientales con carritos de la compra llenos de cacharros personales o de cosas del trabajo y con cajas con pollos vivos, africanas con vestidos de colores y africanos trajeados que vuelven de la iglesia, indios con el turbante del que se ha liado la manta a la cabeza, familias de latinoamericanos muy juntas, unidas, apretadas en su perpetua comunidad indígena. Toda esta gente va a pasar el domingo con los suyos, se visitan en los pisos de unos parientes o de unos paisanos, y viajan bajo la tierra de una punta a la otra de la metrópolis. Para darles abajo la cabida que no se les da fuera, se irán poniendo en todas las líneas de metro vagones cada vez más anchurosos y cada vez con menos asientos, pero así lo único que se ha conseguido es hacinar en pie (es decir, rentabilizar) todavía a más pasajeros cuando van o vuelven reventados del trabajo, mientras el reloj digital de los andenes que anuncia el tiempo que falta para que llegue el próximo metro hace bucle una y otra vez, y en sus giros le lima la vida a la gente que espera.

Al calor de las concentraciones de nuestros vecinos que reclaman su medio de transporte, nos echaremos a secuestrar autobuses. El primero, uno de los largos, con acordeón en medio, de la línea cuarenta y tres, como los que Gallardo y Mediavilla sacaban en los tebeos de *Makoki*, iremos a buscarlo un amigo y yo. Pepe Alda, con su barba muy corta, de antiguo cenetero de los años setenta. Con Pepe Alda también voy a dar el salto mortal, o tal vez la pirueta del superviviente, que lleva de creer en lo político a creer más en la literatura, o en las fotografías, o en las pinturas, o en las películas. Pepe Alda y yo iremos esa tarde hasta el final de la calle Guipúscoa igual que quien ha decidido llegar hasta el final de la historia, y nos subiremos en el primer cuarenta y tres que pase, y cada uno con un palo en la mano le diremos a la gente que se baje, y la gente va a bajarse sin decir esta boca es mía. Luego le pediremos al conductor que siga has-

161

ta San Adrián, que continúe como en la ruta que hacía antes, y sin creérnoslo nosotros el conductor va a hacernos caso. Los vecinos que hay en la concentración al ver aparecer un cuarenta y tres de repente en la plaza del ayuntamiento se volverán locos de alegría. Una fiesta espontánea irá extendiéndose por todo el barrio. El siguiente autobús vamos a traerlo entre más personas. En uno de los secuestros, la guardia urbana de Barcelona nos perseguirá hasta la linde de San Adrián, aunque más bien va a dar la impresión de que está escoltándonos. Maravillosamente sin que nadie ni nada nos lo impida, nos pasaremos la tarde trayendo autobuses y así vamos a dejar por la noche toda la plaza rodeada de buses aparcados. En la concentración del día siguiente aparecerán los prosoviéticos cargados de megáfonos y pancartas (y eso que hasta ahora, igual que el resto de los partidos del ayuntamiento, no habían querido apoyar las movilizaciones). A partir de ese instante, visto y no visto, la manifestación les pertenecerá a ellos, la gente va a gritar las consignas que salen de sus megáfonos y no lo que siente en el momento. Repartirán adhesivos del partido para tener pegadas a las personas como moscas en la miel de la alegría, y darán octavillas explicándole al personal por qué ha salido a la calle (aunque ellos fueron los últimos en hacerlo). También la aparición de los autobuses en la plaza la presentarán como una victoria del partido. Entonces, Pepe Alda; su novia Elisabeth, que pinta murales en las paredes de las fábricas; Ignasi con su porro extrafino y su bolsa de Doritos;

Toni Disco con su jersey salpicado de pintura rápida; Jesús Ripoll, hijo de un viejo cenetero de cuando la guerra, y que sueña con ser locutor de radio; Vero, que abortó a los diecisiete y la abducirá una secta maoísta para que vaya contando desesperada su vida en charlas por las células de los barrios; Vázquez, que ha preferido como siempre mirar mientras escuchaba música; Concha, con su acento familiar cordobés y el traje chaqueta azul celeste que le ha hecho su madre; todos los amigos, todos nosotros, abandonaremos la movilización, nos volveremos al bar de la carretera a beber cerveza, y a hablar de libros, de fotógrafos raros, de *La ley de la calle,* de *Extraños en el paraíso* y de todas esas películas que están estrenando en Barcelona.

Están manipulando como siempre, farfulla Pepe con su paquete de Ducados abierto por abajo como hacen los mecánicos para sacar el cigarrillo sin ensuciar el filtro con las manos.

Podemos imprimir unas octavillas, propone Elisabeth, para tocarles las pelotas; para que vean que a nosotros no nos manipulan.

¡Eso ya lo saben! No hace falta que se lo digamos por escrito, responde Pepe.

Los que manipulan, sentencia Ignasi creando una etimología fumeta, son los que pululan con las manos.

En Barcelona, a la altura del paseo de Gràcia con la calle València, que es donde tiene parada el cuarenta y tres, cuando vaya a estudiar, o al cine, o esté dando una vuelta, irá parándome, como de costumbre, la policía nacional en su ritual de pedirme el carnet de identidad (y en la identificación simularán una sordera como de criada de chiste), en su rito y geografía de hacerme sacar todo lo que llevo en los bolsillos, el mosquetón con las llaves, de hacerme vaciar la cartera de cuero marroquí y el paquete de tabaco, de registrarme delante de todo el mundo en medio de la calle o de meterme en la furgoneta a empujones y amenazarme con sus dudas kafkianas. Qué haces en Barcelona es la pregunta que más repiten los maderos, como si Barcelona fuera de ellos. Pero ya habré constatado tiempo antes la evidencia de que a ellos la ciudad tampoco les pertenece, de que ellos están aquí solo para guardársela a sus dueños. Volviendo del cine con Ignasi y Toni Disco en la noche de las elecciones del ochenta y cuatro al parlamento catalán, cuando Convergència i Unió tuvo más de un millón trescientos mil votos, su histórica mayoría absoluta, iremos los tres por el paseo de Gràcia en busca del bus, y en la esquina con València coincidiremos con un grupo de hombres encorbatados que hablan en voz alta. A Convergència aún se la identificará en esos días con el visón y la banca por encima de sus otros aspectos más pueblerinos. El grupo de amigos está celebrando alegre, con simpatía de compañeros, la victoria de su coalición. Se dirigen al Majestic, que está allí enfrente y es el hotel donde el partido instala siempre su sede electoral. ¡Así aprenderá la charnegada!, exclama uno de ellos. Pero los oídos con los que oigo el mundo me van a decir que los charnegos no existen, que sólo existen los bloques (y los bloques son más de quienes los han hecho que de los que viven en ellos).

Nosotros también formaremos grupos de amigos, pero para disolvernos en la realidad, para absolvernos en el juicio que cada día se celebra en las calles. Iremos en grupo salvaje al Pryca, en un piquete, en la jornada de la huelga general. El gran plantón del ochenta y ocho, el catorce de diciembre. A partir de la medianoche exacta, andaremos todo ese día cerrando talleres, almacenes, por los polígonos de San Adrián. Las mujeres de la limpieza de una fábrica saldrán dando palmas, con el anorak encima de la bata, y algunas son las madres de los amigos y besan a sus hijos. Se es más obrero cuando se hace huelga que cuando se trabaja, igual que el león es más león cuando ruge. Va mi padre en otro piquete con sus compañeros del sindicato, y yo me veo, antes que unido a una clase, unido a mi viejo. Hogueras en medio de las calles para calentarse en la madrugada, para ver el mundo con la luz roja de una aurora roja que yo voy iluminando de literatura barojiana. Termos con carajillo. Carreras por los talleres persiguiendo a los coches. Unos que quieren entrar a trabajar han atropellado a un gitano que estaba en los piquetes. Pero lo que hay en esta huelga es una canción de despedida. Parecen los obreros esa orquesta que toca en el barco que va a hundirse. A cada rato voy a entender que estoy más cerca de ellos que de la clase a la que representan. Que por encima de pertenecer a una clase voy a pertenecer a un estilo. La noche es un cristal roto y por sus grietas empiezan a colarse los claros del día. Vemos azulear el cielo entre las tres chimeneas de la térmica, por detrás del Pryca. Encenderse la playa. Las sombras del polígono se va rompiendo en jirones. Son las mismas calles, la misma playa, la misma vía, muchas de las mismas fábricas de aquella huelga en que mataron a Manuel Fernández Márquez. Pero ahora, si se sigue el puente del tren, se llega a una calle que lleva su nombre. Y donde estamos nosotros con las hogueras, en la avenida de Eduard Maristany, junto a las vías, pondrán luego la Plataforma de la Construcción, y frente a los muros de estos almacenes se formarán cada mañana cuadrillas de emigrantes seleccionados a dedo para llevárselos en furgonetas a las obras. ¡Al Pryca, al Pryca!, empezaremos a gritar en todos los piquetes. Los sindicatos reparten pegatinas, pero yo no voy a querer estropear con pegamento la cazadora negra que mi padre me ha pasado porque a él se le ha quedado pequeña. Desde entonces llevaré ya veinticinco años poniéndomela cada invierno. Tropezando con los brazos en las mangas, o cuando me la abotono, me estoy metiendo dentro de mi padre como en un ritual chamánico. Se pertenece antes a una chaqueta que a una patria o a una clase. En los piquetes del Pryca nos encontraremos todos los que hemos sido despedidos en el año escaso que lleva abierto, los padres y los hermanos de los que aún trabajan ahí, la gente que hizo el cursillo de la oficina de empleo y le llenó gratis los almacenes. Y amenazando en multitud al servicio de seguridad, que protege las puertas acristaladas del centro comercial, gritando todos como locos ¡o salen o entramos!, haremos salir a todos los trabajadores que han querido estar ahí dentro (o no se han atrevido a no entrar) y obligaremos a los jefes de sección a salir cabizbajos, asustados, y conseguiremos cerrar los almacenes. La policía antidisturbios nos observará de cerca sin intervenir, sin insinuar un solo gesto. Qué relación más rara voy a mantener con la policía, que me deja secuestrar los autobuses de las afueras y amenazar a los seguratas del barrio, pero cuando me ve por paseo de Gràcia me para y me pregunta qué hago en Barcelona. Bueno, ahora ya no me pregunta nada, pero es que el rock and roll ahora lo oigo sentado en el sofá. Al día siguiente de la huelga, iré al *Ajoblanco* a explicárselo a mi director, a Pepe Ribas, y al final no seré capaz de interesarle en el asunto. El *Ajo* está haciendo una cosa cultural, de tendencias, dándole cancha a caminos artísticos que pasan por los bares de diseño y la arquitectura pija, y yo le estoy hablando de una prehistoria que agoniza, de la que ni siquiera quiero formar parte igual que tampoco quiero formar parte de la cultura para la que trabajo en la revista.

15
En coche con Manolo Escobar

Siempre a la orilla del río, paseando con mi madre y, cuando nos separamos y volvemos a nuestros asuntos, yo marcho a buscar la literatura antes que cualquier otra cosa. Lo literario es llegar al barrio de La Salut, en Badalona, montado en el Mercedes de Manolo Escobar. Pero éste es un sitio donde se acumulan los pisos patera y por donde se afila la derecha parlamentaria para hacer política de extrema derecha. En menos del medio kilómetro cuadrado que ocupa este barrio se concentran más de diecisiete mil personas. Sus calles están sucias y se ha pegado a las paredes de los bloques una costra que nadie quiere limpiar. Por la parte más alta (en la linde con Lloreda) y por la calle Calderón de la Barca, las viejas barracas de ladrillo se simultanean con edificios que también se han quedado viejos. Hay que entrar en estas barracas por pasillos estrechos y llenos de escaleras donde los zapatos se pegan en cada peldaño. Se alquilan habitaciones en muchas de ellas, y algunas son tan pequeñas que la gente tiene que dejar la lavadora en el pasillo. En otras se han montado talleres clandestinos. Toda esta geografía urbana está documentada y estudiada por

Jesús Requena Hidalgo, un sociólogo de Badalona que con escrupuloso rigor utiliza la palabra cuevas para referirse a las habitaciones de Calderón de la Barca. Los vecinos más antiguos les tienen manía a los nuevos emigrantes que ocupan estas infraviviendas (otro término empleado por Requena Hidalgo), y se justifican diciendo que ellos también llegaron de fuera pero que eran más curiosos y no creaban conflictos. Lo cierto es que en los años sesenta, cuando llegó la ahora vieja emigración, el lugar fue conocido como el barrio de las puñaladas. Y también es cierto que en estas calles a la miseria sólo la va a seguir una miseria mayor, igual que un resfriado que no se cura da paso a una pulmonía.

Iré con Manolo Escobar en un cochazo hacia el barrio de La Salut donde él vivió, hace muchos años, cuando era cartero, porque quiero hacerle una crónica sentimental para *El País*. Muy cerca de la calle donde se afincó con su madre se encuentra la iglesia en que me bautizaron, y cuando era muy pequeño yo confundía su campanario con la torre de ladrillo del matadero municipal, quizá porque las dos tenían reloj o a lo mejor porque era mucho más bonita la segunda. Conduce su sobrino Gabriel, que le hace de representante. Manolo Escobar va a su lado, y quiere apagar el autorradio, pero no hay manera. Le da vueltas a un botón que parece que gira, aunque la radio sigue oyéndose. Entonces intenta ayudarle Gabriel y tampoco hay forma de apagar o de bajarle el volumen al cacharro. En el asiento de atrás vamos apretados

Ana Marx, que es la mujer del cantante, el fotógrafo Jordi Barreras y yo, que llevo la libreta de notas en la mano como Colombo. Ana Marx se cansa de ver que los hombres no son capaces de apagar la radio y les dice que lo que tienen que hacer es girar el botón y no darle tirones. Hay una familiaridad en todo esto, en la mujer mandona, en ir los tres apretujados en el asiento de atrás de un coche, en el paisaje, en el ambiente del barrio.

No acaba de bajar del Mercedes y Manolo Escobar ya está rodeado de gente que le reconoce y que dice acordarse de él. Su sobrino deja el vehículo aparcado en un chaflán y un gracioso le asegura que aquí nadie les va a robar el carro. El que ha vuelto al barrio de La Salut es un Manolo Escobar de setenta y cuatro años, lleva un jersey de color zanahoria, con la frente ancha de hombre de campo. Hay un paseo principal en el barrio que la gente conocía como paseo de los plátanos, por sus árboles, pero que el ayuntamiento franquista llamó paseo de Cristo Rey, y que ahora recibe el nombre de paseo de La Salut. Fue ahí donde vivió Manolo Escobar y donde se hizo artista con sus hermanos, y en el sitio donde un día se encontraba su casa se detiene ahora para hacerse una fotografía sonriendo a la cámara y a todos los que le miran. A Manolo Escobar le van reconociendo los vecinos por el camino. Le detienen, le rodean y un hombre de pelo blanco le grita: ¡Manolo! ¿Verdad que te acuerdas de tu barrio? Antes de ser el viejo cantante millonario que vive en Benidorm, y que se ha convertido en uno de los mayores coleccionistas españoles de arte contemporáneo, Manolo Escobar fue aprendiz de metalúrgico, y también aprendiz de ebanista, y asimismo hizo de peón albañil (y a propósito de esto cuenta que subía y bajaba por la calle Balmes con una carretilla cargada de yeso), y más tarde pudo colocarse como auxiliar de Correos. A Barcelona, Manolo Escobar llegó desde El Ejido, en la parte de Almería, con catorce años, acompañado de dos de sus nueve hermanos tras un viaje en tren que duró tres días. La descripción que hace de aquellos tiempos parece un calco de como es ahora el barrio. Sigue así: Luego llegó el resto de la familia, que vino en barco, y que se traía la cabra; dormíamos en un piso de tres habitaciones mis padres, los diez hermanos, dos de ellos casados, unos amigos y la cabra.

Unos magrebíes observan indiferentes el arremolinarse del gentío en torno al cantante, que no saben quién es. Estos también son emigrantes como usted, le he soplado; pero Manolo Escobar no está de acuerdo en que sean como él.

¡Échame una firma, que soy del barrio!, le pide una muchacha y le tiende el comprobante de un cajero de la Caixa para que se lo autografíe y él se dirige hacia ella sonriente. Le retrata con su teléfono móvil un chaval con gafas de sol, que lleva en la mano las llaves del coche. Una señora mayor dobla un papel con una dedicatoria y le dice a una amiga: ¡Me ha firmado aquí! ¡Se lo daré a mi nieto! Y una mujer madura, con mechas y chaquetilla rosa, el rostro curtido, la sonrisa mellada, lo fotografía con emoción: Una foto para mi padre. De una perfumería salen cuatro dependientas con sus batas y con sus móviles abiertos para retratar a Manolo Escobar. Una anciana muy arrugada le agarra de repente del brazo y con una dulzura campesina le va a susurrar: Manolo, a mí no me conoces... Manolo Escobar se ha quedado mirándola grave y al rato exclama: ¡Qué barbaridad! (Existe el espejismo de que en un reencuentro que ha tardado mucho podemos devolvernos los unos a los otros el tiempo que ha pasado.)

Mientras su marido se prodiga en saludos, Ana Marx va a explicarme que una vez la atracaron en la plaza de la iglesia, la que está cerca del matadero. Y el ladrón era un chico muy majo, simpatiquísimo, detalla. Ana Marx Schiffer es de Colonia y no tiene nada que ver con Karl Marx ni con Claudia Schiffer. Ana Marx llegó a España fumando y con pantalones, y en el año cincuenta y nueve se casó con un cantante que empezaba a ser muy famoso y que no le gustaba que, a los toros, su novia se pusiese la minifalda.

Un domingo de paseo por el río le regalaré a mi madre la foto que me hice con Manolo Escobar allí, en el barrio de La Salut, donde mis padres tuvieron su primer piso de casados. Entre semana, mi madre y yo hemos ido a verle actuar en el teatro Condal, en el Paral·lel. Manolo Escobar ha estado llenando con un público que viene de los barrios y de la periferia. Gente mayor, obrera, que se arregla para ir al teatro y que se disloca aplaudiendo *El porompompero* y coreando *Mi carro,* y cada vez que Escobar anuncia un pasodoble retumban de nuevo los aplausos. Pero en el momento en que canta *Y viva España,* a la concurrencia le da apuro corear ese estribillo, quizá porque intuye algo raro, le da acaso mal rollo, cree que eso no está del todo claro o tal vez está pensando eso de tú aquí sí que no me vas a pillar, y entonces ya no le sigue nadie y las palmas dejan de oírse. Manolo Escobar también se da cuenta a la primera y deja de hacerle gestos al público para que le siga, así que termina la canción solo. De vez en cuando alguien le grita ¡Visca el Barça, Manolo!, y el cantante y la gente se sonríen porque todo el mundo sabe que Manolo Escobar es forofo del Barça. A Manolo Escobar, cuando se le pregunta a solas si le hubiese gustado ser cantaor flamenco, se le pone el gesto muy melancólico y asiente, como lo haría yo si alguien me preguntase si me hubiera gustado ser poeta.

Yendo por el paseo del río me contará mi madre que, cuando vivían en el barrio de La Salut, la novia de un tío mío había estado de asistenta de la madre de Manolo Escobar. De lejos veremos acercarse a un hombre de aire taciturno, y aunque su envejecimiento me hace dudar de si estoy en lo cierto, el corazón me golpea con fuerza para asegurar que sí, que es él. ¿Sabes quién es ese?, le digo a mi madre. Ella me contesta que no tiene ni puñetera idea. No me vengas con que no lo conoces, insisto. Cuando nos crucemos le pararé para saludarle. Ahora ya no lleva perilla a lo Lenin y ha perdido dureza en la mirada de sus ojos pequeños y en su palabra discursiva, en su dialéctica histórica. Le pregunto si ya se ha jubilado; pero no, qué va, peor, está en paro y va haciendo alguna chapucilla. No sabe cómo se va a jubilar. Hablamos muy por encima, muy rápidamente, un poco de todo, del mundo, de la vida, de la política, que la dejó, y la verdad es que se le ve desconcejalizado. Hablamos de que a la crisis esta ya se la veía venir. De que todo lo que está pasando ahora ya lo avisaron ellos cuando se hizo el Pryca. Él se muestra, no esquivo como si ya no quisiera saber nada, sino desconfiado como si hablar ya no valiera la pena. Castro sólo sonreirá al final, al estrecharnos la mano para despedirnos.

Qué lejos, hoy, el cielo del río. Se va abriendo un vacío entre nosotros y el paisaje. Nada de lo que vemos es nuestro. Voy a querer tapar todo ese hueco con palabras. He crecido escuchando en los días de lluvia, o de mucha humedad, el chisporroteo de las torres que había antes a la orilla del Besòs. Pero cuando se celebró el Fòrum de les Cultures, las quitaron para hacer el parque fluvial. Me pasaré horas en la barandilla, mirando cómo las desmantelan. Primero cortaban los cables de alta tensión, igual que Dalila le cortó a Sansón el cabello, y así dejaban las torres peladas y sin fuerzas. Un metro del más grueso de aquellos cables podía pesar cerca de tres kilos. Tensado, entre torre y torre, cada tramo de cable rondaba los tres mil kilos. Como cayeran los cables dentro del río, ya se veía a los hombres metiéndose a buscarlos en el agua, y si el río venía crecido el agua les entraba por las botas. Una vez que habían localizado los cables, los ataban por una punta a una ranchera, que los arrastraba a tierra. Para poder manejarlos cortaban los pedazos más largos con la muela. Entonces ya podían desarmar las torres. Iban una por una. El mismo hombre que en el año sesenta y seis supervisó la instalación de las torres fue luego el encargado de hacerlas caer. Saltaré al río para hablar con él algún rato. Es un leonés que tiene sesenta años, se llama Gonzalo. Mientras cuenta anécdotas, detalles, datos, de estos trabajos, va dando órdenes por el walkie. Algunas de las torres llegan a los setenta y seis metros de altura, y la menor se aproxima a los cincuenta metros. Las levantaron con grúas que no sobrepasaban los quince metros. El resto lo tuvimos que subir con poleas, añade. Quiero saber entonces si los hombres que ahora suben hasta lo más alto son técnicos en algo. Se sonríe con socarronería: ¡Son técnicos en no tener vértigo! Un grupo de vecinos pedirá que conserven una torre como símbolo o como recuerdo, pero al final no dejarán ninguna en pie. No era un paisaje lo que se estaba desmantelando, era una época, y yo me sentiré siempre más lejos de Barcelona que de esa época.

Mi madre me va contando en estos paseos nuestro linaje granadino. Lo que ella sabe alcanza hasta cinco generaciones atrás. Sobre el árbol de la familia colocaré como una plantilla el árbol del análisis sintáctico. Sujeto y verbo como abuelo y abuela, y a partir de ahí empezaré a ramificar. Pero hay un precipicio que me separa de la genealogía que mi madre quiere transmitirme. Todo lo que explica ha ocurrido muy lejos, en otro paisaje, en una pequeña sierra de Granada. En un lugar ficticio, porque lo real para nosotros han sido las fábricas de aquí, los bloques, los solares. De casi ninguna de las personas que va nombrando tengo más referencia que la de sus palabras. Ella conoció a algunos, a lo mejor a muchos, y, sobre todo, en el pueblo todos hablaban de todos, todos se habían vinculado de una manera u otra. No estaba rota esa cadena y la vida se convertía en cultura a través de la oralidad. Cultura oral en estado puro. A veces, cuando han dado en televisión una película sobre Juana la Loca, mi madre ha dicho: Pues no me han descubierto nada nuevo, ¿no ves que todo eso era lo que contaba la gente en Gor? Ha vivido mi madre en la misma historia que sus abuelos, que era o pertenecía a la misma historia de su pueblo. Pero lo que para ella es historia para mí ya es leyenda. Magia, ritual. Habla de antepasados y yo los comprendo como héroes. No es genealogía lo que me explica sino mitología. Ni siquiera sabré el significado de muchas palabras con que va conjurando nuestros orígenes. Y entonces a cada rato mi madre va a interrumpirse y me preguntará con sus ojos brillantes de inteligencia: ¿Sabes lo que es una *devanaera*?, ¿sabes lo que es un *amolanchín*?, ¿sabes lo que es el *gordolobo*?, ¿sabes lo que es la *alloza*?, ¿sabes lo que es un *balate*?, ¿sabes lo que es una *jícara*?, ¿sabes lo que es la ropa cuando se pone *empercudía?*, ¿sabes lo que es un *cuartillo?*, ¿sabes lo que es medio *celemín?*, ¿sabes lo que es la *solana* de una casa?, ¿sabes lo que es el *desfán* de la chimenea...?

Javier, ¿te he contado lo que me decía mi padre cuando era muy pequeña? Que algún día tendríamos que irnos de Gor, que no era tierra para nosotros. Mi madre se va enredando en la historia de su bisabuela María Guzmán, que vivía en un molino de río con su madre, su tatarabuela Isabel. Le salió a la chavala, era muy jovencilla, un pretendiente, que todas las noches le entraba por la ventana de la habitación, hasta que le pidió a su madre que le pusieran una reja en la ventana. Pero ya se había quedado embarazada. El mozuelo, que se llamaba Vicario de apellido, se quería casar con ella, pero ella le tenía miedo porque le había dicho que le guardaba un haz de varas para rompérselo encima una vez estuvieran juntos. El caso es que cuando parió, el novio estaba escuchando detrás de la ventana y oyó que era una niña. Entonces se fue corriendo al ayuntamiento y dijo que había nacido una niña en un molino, que de nombre le pusieran lo que quisieran, pero el apellido tenía que ser Vicario. Su bisabuela se armó de valor y jamás quiso casarse con aquel hombre, y tan decidida estaba que al final su madre se le ofreció para decir que la niña la había tenido ella. Pero la chiquilla se empecinó y crió a su hija sola. Nunca le puso la V del padre cuando bordaba las iniciales en la ropa de la niña.

Escucharé a mi madre paseando por el río Besòs

y atravesando las llanuras secas de su voz anciana iré comprendiendo que no tengo más raíces que un puñado de palabras que apenas se usan, que ni siquiera soy de un idioma, que en realidad pertenezco a una voz.